열일하는

파금기사

열일하는 과금 기사 8

초판 1쇄 발행 2022년 5월 26일

지은이 | 박건
발행인 | 신현호
편집장 | 이호준
편집 | 송영규 최종건 정재웅 양동훈 곽원호 조정범 강준석 최성화
편집디자인 | 한방울
영업 | 김민원

펴낸곳 | ㈜ 디앤씨미디어
등록 | 2002년 4월 25일 제20-260호
주소 | 서울시 구로구 디지털로 26길 111 JnK디지털타워 503호
전화 | 02-333-2513(대표)
팩시밀리 | 02-333-2514
E-mail | papy_dnc@dncmedia.co.kr
블로그 | blog.naver.com/gnpdl7

ISBN 979-11-364-3387-9 04810
ISBN 979-11-364-2823-3 (SET)

박건 판타지 장편소설
Papyrus Fantasy Story
열일하는
PAPYRUS
파피루스

chapter1.

공모전(2)

chapter1.
공모전(2)

"와."

후원이 들어왔다.

[와우! M-4님께서 드래곤 스톤 1만 개를 후원하셨습니다!]

[와우! 갤럭시님께서 드래곤 스톤 4만 개를 후원하셨습니다!]

[와우! SF-Werewolf님께서 드래곤 스톤 18만 개를 후원하셨습니다!]

[와우! 오메가님께서……]

너무도 당연한 말이지만, 정체불명의 후원자들에게 후원을 받는 것은 나 한 명이 아니다.

수많은 작가들이 후원을 받았고 당연히 그들은 그 기준에 관한 이야기했다.

작가들이 생각하는 기준은 총 세 가지였다.

'들어간 작가의 노력, 작품의 영향력, 그리고 소설에서 다루고 있는 소재.'

날림으로 쓴 글보다는 정성 들여 쓴 글이 더 많은 후원을 받았다. 여기서 함정은 '잘'이 아니라 '열심히'가 기준이라는 것. 몇 번이나 고쳐 쓰고 퇴고를 계속했다면 그 결과물이 형편없다 해도 후원이 붙었다.

그리고 영향력.

이는 작품의 흥행과 어느 정도 비례했지만, 꼭 그런 것은 아니었다. 평균 구매 수가 3만이 넘는 흥행작이라도 읽은 사람들이 주인공 이름도 기억하지 못할 정도로 대충 봤다면 후원이 붙지 않거나 붙어도 액수가 적은 식.

마지막으로 소재.

실화 바탕의 이야기들이 많은 후원을 받았다. 그 덕에 사회 문제를 소재로 한 소설들은 물론 심지어 기자 중에서도 후원을 받는 경우가 있다고 한다.

그리고 그런 면에서.

[와우! M-4님께서 드래곤 스톤 297만 개를 후원하셨습니다!]

새순이 돌을 때가 받은 후원은 그야말로 최고 수준이었다.

“2억 9,700만 원.”

최근엔 100억 단위로 돈을 버는지라 예전처럼 손발이 떨리고 환호성이 터져 나오지는 않았다. 그러나 그렇다고 이 돈이 적다고 누가 말할 수 있겠는가?

‘설마 샤인라이트 영웅전기와 같은 수준의 후원을 받아낼 줄이야.’

놀라운 일이다. 정체불명의 후원가, 속칭 ‘퍼리’들이 소설판에 무지막지한 돈을 뿌리고 있는 건 사실이지만, 억대의 후원을 받는 이는 극히 드물었다.

보통 수백. 많아 봐야 천 단위가 한계인 상황에서 3억에 가까운 후원은 실로 대단한 액수라 할 수 있겠지.

아, 참고로.

퍼리(Furry)는 이 정체불명의 후원자를 넷상에서 부르는 명칭이다. 털이나 수인과는 전혀 상관없이, 그저 수상할 정도로 돈이 많은 후원자라서 퍼리라고 부른다나.

그들의 후원이 일반인의 감성에서 많이 벗어나기에 붙은 멸칭(蔑稱)이기도 하다.

“자…… 뭐, 이것으로 제국 공모전도 끝이군.”

나는 게시판 상단에 〈공모전이 종료되었습니다.〉라고 쓰여 있는 노벨 아레나로 들어가 각각의 총 구매 수를 파악했다.

최종적으로 황제기사 네버는 노벨 아레나 3위에 안착했다. 평균 구매 수로 치면 10위도 아슬아슬한데 그걸 폭풍 연재로 메웠다.

'질보다 양이 웬 말이냐!'라며 볼멘소리를 하는 작가들이 있었지만 애초에 노벨 아레나의 규칙이 그런 것을 어쩌겠는가?

그리고 화제의 작품. 새순이 돋을 때는 최종적으로 15위에 안착했다.

주인공에게 별다른 초능력도 없고, 여주인공이며, 그런 주제에 로맨스 빈도도 극히 떨어지는, 심지어 그마저도 2부는 중년, 3부는 노년이다. 그런 소설이 베스트 20에 들어간 것은 장르 공모전 역사상 처음 있는 일이다.

'나머지 작품들은 결국 고만고만한 선에서 끝났군.'

베스트 50에 두 작품, 베스트 100에 여덟 작품이 들어가고 나머지는 전부 순위권에 들지도 못했다.

다들 최선을 다해 썼겠지만, 문명 레벨부터가 차이 나는 이세계에서 인기를 끄는 게 쉬울 리 없다. 황제기사 네버와 새순이 돋을 때가 오히려 특이한 케이스.

그러나 상관없다.

내가 연재한 작품은 600작품이 넘으니까!

'그야말로 숫자로 밀었구먼.'

반응이 안 좋은 작품들은 바로바로 연중 처리하고 바로바로 신작을 투입했기에 나온 작품 수다.

원래 연중은 독자들이 가장 극혐하는 행위 중 하나임에도 연중작에는 욕도 없다. 죄다 조회 수가 한자리에서 두자릿수에 불과하니 독자들도 이해하는 편이었다.

"뭐, 그것들도 다 방향을 잡아 가는 과정이지. 수상작들이나 예시를 보여 주면 점점 나아질 테고…… 요번 인세로 주식을 사면 게시판 패치부터 해 봐야겠군."

아르데니아에 문학을 부흥시키려면 역시나 '연재 게시판'을 만드는 게 가장 확실한 방법일 것이다.

물론 게시판 특성상 플레이어만이 접속할 수 있겠지만…… 인류제국의 플레이어는 날이 갈수록 무섭게 불어나고 있다.

"로그인."

나는 아르데니아로 들어가 플라워에게 점수표를 넘겼다.

"발표해."

"드디어 전설 펫의 주인이 가려지겠군요."

"수상식은 한 달 뒤. 여기서 하는 거로 하지."

"네, 폐하…… 어머."

점수표를 슬쩍 훑어본 플라워가 탄성을 흘린다.

"의외지?"

"네. 이게 이렇게 될 줄이야…… 그나저나 이 추가 점수는 뭔가요?"

"글쎄. 굳이 말하자면."

피식 웃으며 자리에서 일어난다.

“초월자들의 후원.”

* * *

새해가 밝았다. 남부 지방을 제외한 대륙 대부분에 혹한의 추위가 몰아치는 시기.

5년 전에는 다들 문 꼭 걸어 잠그고 집에 박혀 있을 시절이지만, 이제는 상황이 다르다.

“와! 언니! 엄청 더워! 반팔을 입어도 더운데?”

10대 초중반으로 보이는 적발 소녀의 말에 마차를 몰던 헤이즈가 답했다.

“지하가 원래 지상보다 따듯하다고 하더라고. 게다가 지하대로를 이용하는 사람이 오죽 많아야지.”

8차선 넓이의 지하대로에 수많은 사람이 오가고 있다.

간단히 가방 하나 메고 걷는 이들부터 말, 소, 알파카, 낙타 등등 온갖 탈것에 타 있는 이들. 적게는 한두 마리, 많게는 대여섯 마리의 동물들이 끌고 가는 마차까지.

엄청난 인파였지만 지하대로가 워낙 넓고 구획 분리가 잘되어 있어 통행에는 아무런 문제가 없다. 그들은 탈것의 속도에 따라 분리된 도로를 걷거나 혹은 달리고 있다. 초월급 속성력으로 다져진 도로는 너무나 단단해 흙먼지 하나 일지 않는다.

지하대로는 그 특성상 어두울 수밖에 없었지만, 곳곳에 위치한 등불이나 마법등에서 흘러나온 빛 덕에 충돌하거나 하는 일도 없었다.

"자자! 대지성 이전 마지막 휴게소입니다! 시원한 지하수로 목 축이시고 백색성 특산물 도마뱀 꼬치를 맛보세요!"

"4인용 하루 숙박 단돈 50골드~! 4시간 대실은 15골드입니다! 잠시 쉬고 가세요!"

지하대로 중간중간에는 국가에서 직접 운영하는 휴게소들이 자리하고 있어 지하대로를 이용하는 제국민들의 휴식처가 되고 있다.

헤이즈는 그들을 보며 감회에 젖었다.

"정말 빠르게 변해 가는군……."

불과 5년 전의 대륙을 생각하면 그야말로 상상을 초월하는 변화다. 그녀가 [회귀]를 하기 전 광경을 생각해 보면 더더욱 그렇다.

위대한 황제, 구원자의 존재란 그만큼이나 거대한 것이었다.

"그나저나 엄청 많은 사람이 이동 중이네."

마차에 앉아 있는 적발의 소녀, 레드가 중얼거린다.

그녀는 귀족 가문에 노예로 잡혀 있던 몸으로, 그녀의 [미래]를 아는 헤이즈는 수천의 적과 대적하면서도 그녀를 구해 나왔다.

"그만큼 이번 공모전이 큰 이벤트라는 거지."

"결국, 남이 받는 상 아냐? 그게 뭐 좋다고 이렇게들 몰려가?"

"수상식에 더불어 축제를 벌인다고 하잖니. 게다가 대지성이 그렇게 아름답다고 하던데."

"아이언 캐슬보다 더?"

"허공에 떠오르는 글씨 못 봤어? 예술과 축제의 성이라잖아. 강철과 거인의 성보다는 당연히 화려하겠지."

피식 웃으며 마차를 끌고 있는 스팅을 재촉한다.

그 모습을 본 주변 사람들이 수군거린다.

"철갑 코뿔소……."

"부럽다…… 한때 황제 폐하께서 타고 다녔다는 펫이잖아?"

"피부 반짝이는 거 봐…… 돈 많이 벌면 꼭 사고 말 테야……."

8개의 신화급 성 중 거주 인원이 가장 적었던 대지성에 엄청난 규모의 인파가 몰려들고 있다. 비단 먼 길을 떠나온 헤이즈와 레드뿐 아니라 여행을 떠날 형편이 되는 수많은 제국민들이 축제와 수상식을 보기 위해 이동한 것!

그리고 그 결과 수상식 당일이 되었을 때.

대지성에는 수십만이 넘는 인파가 모여들게 되었다.

"와아아아아!"

"황제 폐하!"

인류제국의 위대한 황제, 한재연은 수많은 제국민들의

환호성을 들으며 제1회 제국 문학제의 우승자와 마주했다.

"귀하는 놀라운 솜씨로 하늘과 인간을 감동시킬 작품을 써내는 데 성공하였으니, 나 한재연은 인류제국의 황제로서 문학신성(文學新星) 메달과 5급 작가 증명서, 그리고 전설 펫 선택권을 내리겠다. 수상자 앞으로."

"수상자 앞으로!"

기사의 복명복창에 대기하고 있던 수상자가 자리에서 일어난다.

차분한 표정의 노인.

로즈리안 트리였다.

"수고했다."

"영광입니다. 폐하."

최종 우승자는 결국 그녀가 차지하게 되었다. 총구매수에서는 황제기사 네버가 압도적이었지만, 작품이 완결되고 난 후의 후원이 모든 걸 뒤집어 버렸다.

황제기사 네버 역시 후원을 받았지만, 고작 800만 원의 후원으로는 왕좌를 지켜 낼 수 없었던 것이다.

"네가 선택할 수 있는 선택지는 다음과 같다. 나와라, 카심."

쿠웅!

"오오-!"

환상처럼 모습을 드러낸 백색의 드레이크를 보고 수상식을 지켜보고 있던 사람들이 탄성을 내지른다.

"포효하는 드레이크 카심. 신성포효를 내지를 수 있고, 제비보다 빠르고 날렵하게 하늘을 날 수 있다. 녀석을 탄다면 하루 안에 대륙 어디든 갈 수 있지."

과거 과금력의 존재를 모를 때, 재연은 매달 카심을 삭제해 아르데니아로 가져왔었다. 믿을 수 있는 수하가 충분히 확보된다면 드레이크 군단까지 만들 생각이 있었지만.

'꿈이었지.'

뽑기가 아닌 증여로 받은 카심은 남에게 넘겨도 여전히 그를 주인으로 인식했다. 측근들이 카심을 소환할 수는 있어도 명령을 내릴 수 없었던 것이 바로 그 이유였다.

결국, 그는 카심을 몽땅 합성할 수밖에 없었다.

일방적인 손해는 아니다. 그만큼의 전설 펫들을 얻었으니까.

"나와라, 젠타."

슥.

재연의 옆에 5미터짜리 거인이 내려선다. 당연하지만 인간이 아니다. 하나밖에 없는 눈을 가진 그는 외눈박이 거인. 사이클롭스(Cyclops)이다.

"사이클롭스 사무라이(Cyclops Samurai) 젠타. 천명용신류(天明龍神流)의 사범으로 별다른 쓸모는 없지. 대신…… 강하다."

전투형 펫으로 타고 다닐 수도 없고 버프도 주지 않지

만, 그만큼 전투력 자체가 너무나 막강한 펫이었다. 얼마나 전투력이 강하냐면, 녀석을 뽑은 플레이어들이 자동 사냥 때 버프 펫 대신 녀석을 소환해 놓을 정도다.

"그리고 마지막."

재연이 젠타를 돌려보내고 다음 펫을 소환했다.

"나와라, 스윗 홈."

펑!

가벼운 폭음과 함께 단상 위에 작은 집이 생겨난다. 그 모습을 제국민들이 신기하다는 듯 바라본다.

"평온의 집. 스윗 홈이다. 겉으로 보는 것보다 훨씬 넓은 내부 공간을 가지고 있고 그 안에 있으면 절대에 가까운 안전을 보장한다."

하우징 펫이다. 어디서든 안전 지대를 만들 수 있고 들어가 있는 것만으로 회복 버프가 작동하는 종류.

설명을 들은 제국민들이 신음한다.

"세상에 아무리 전설 펫이라지만 하나같이……."

"카심뿐만 아니라 모두 엄청나다. 그 엄청난 거인이 검의 고수라니. 게다가 전설급이면 소드 마스터 이상이라는 말이 아닌가!"

"저 집은 어떻고? 아무 곳에서나 집을 소환할 수 있다는 말이잖아? 게다가 절대에 가까운 안전을 보장하다니……."

모두가 놀라는 와중에도 로즈리안은 차분하다. 그녀는 가만히 눈을 감았다 뜨더니 물었다.

"폐하. 혹시 본 점수와 추가 점수의 차이점을 알 수 있겠습니까?"

재연은 뜻밖의 질문에 잠시 멈칫했지만, 이내 웃으며 답했다.

"본 점수는 대중성으로 정해진다. 추가 점수는 특별한 소수가 주는 점수지."

"그렇군요."

"그래. 결정은 끝났나?"

재연의 말에 로즈리안이 고개를 끄덕였다.

"네. 제 선택은……."

로즈리안은 선택했다. 이어 큰 축제가 벌어졌지만, 로즈리안은 피곤하다는 이유로 숙소로 돌아왔다.

"대중성."

문을 닫자 마술처럼 조용해진 방 안에서 로즈리안은 게시판을 열었다.

그곳에는 공모전 수상작들은 물론이고 황제가 직접 올린 몇 개의 작품들이 있다. 그녀는 벌써 몇 번이고 그것들을 읽은 상태이다.

그녀는 몰랐지만, 그 소설들은 지구의 작품이다. 아르데니아의 소설을 지구로 필사한 것처럼, 반대의 경우 역시 얼마든 가능했던 것이다.

"대중성이라……."

슬쩍 웃으며 로즈리안은 펜을 들었다. 그녀의 인생 전

체를 담아 낸 작품을 이제 막 끝낸 상황이지만…… 그럼에도 창작열이 끓어오르고 있다.

설마하니 다 늙어 이토록 불타오를 일이 생길 줄 누가 알았겠는가?

"이래서 인생은 재미있는 것이지."

사각사각.

로즈리안은 차분하게 새로운 작품의 제목을 적었다.

[게이트 이후(以後).]

이어서 부제(副題)를 적는다.

[판타지 세상에서 작가로 사는 법.]

물론, 공모전은 끝났다.

그러나.

아르데니아 장르문학의 씨앗은……. 이제 싹을 틔워 올리고 있었다.

chapter2.

극의지체(極意肢體)의 초월자(超越者)

chapter2.
극의지체(極意肢體)의 초월자(超越者)

기지개를 켠다. 솔직히 몸에는 피로가 거의 없어서 그냥 시늉. 문제는 육체가 아무리 멀쩡해도 정신이 피곤하다는 점이다.

'하.'

나는 정신력이 강하다. 이는 자화자찬이 아닌 객관적인 사실이다.

선별사들이 내 특성란에 괜히 [초인적인 정신력]을 넣어 줬겠는가?

온몸을 찢기는 와중에도 로그인, 로그아웃을 반복해 전투를 이어나가거나 수면 술식이 있다 한들, 고작 하루 30분 정도 자면서 매일 미친 듯 일하는 건 아무나 할 수 있는 일이 아니겠지.

'연약해졌구먼.'

그러나 지금, 고작 10시간 필사를 하는 것만으로도 진이 빠진다. 초월자에 준하는 전투력. 수십 수백억의 수입. 세계적인 명성을 얻게 된 것은 물론 좋은 일이지만…… 이만큼 이뤄 내고 나니 과거만큼 필사의 의지를 끌어올리기가 어려운 상황.

결국 시스템 UI를 종료해 키보드를 없애 버렸다.

"오늘은 여기까지."

공모전이 끝난 후 오룡넷의 인기 작품을 순차적으로 아르데니아에 풀었다. 말하자면 불법 유통이지만…… 그런 것에 양심의 가책을 느낄 거였으면 전설 펫 한 장으로 20억을 벌어 챙기는 양아치 짓 따위는 안 했으리라.

"수고하셨습니다."

어느새 다가온 플라워가 따끈한 김이 피어오르는 음료를 건넨다.

별생각 없이 받았다가 익숙한 향기에 깜짝 놀란다.

"커피잖아?"

언젠가 남부 지대에서 재배할 수 있지 않을까 생각한 적은 있지만 대뜸 이렇게 결과물이 도착할 줄은 몰랐다.

게다가 달달한 이 맛은……

'믹스 커피!?'

황당해하는 내게 플라워가 설명했다.

"역시 아시는군요. 만독성에서 파밍되는 커피콩이라는

재료 아이템과 세계수의 정원에서 나는 설탕을 조합해 만든 아이템입니다. 마나 회복력을 올리는 효과도 효과지만, 맛이 아주 좋아서 플레이어들 사이에서 고급 음료로 각광 받고 있다더군요."

"드랍 템인가…… 차지한 성이 많아지니 조합이나 요리 재료도 충당이 되는 모양이네."

하기야 장비 제작에 들어가는 가죽, 철, 목재, 보석, 역시 8개의 화점을 차지하며 순조로이 파밍되는 상황이다.

언데드 계열 몬스터나 거미 계열 몬스터가 드랍하는 천이 좀 문제긴 하지만, 이 역시 시간을 내 해당 착점을 정복해 두면 해결될 것이다.

"그나저나."

나는 창가에 서서 커피를 마시며 도시를 내려다보았다.

도시 중앙의 길드 타워를 제외하고 가장 큰 규모를 가진 주상복합단지. 속칭 노벨 타워의 옥상에 정좌(正坐)하고 있는 외눈박이 거인의 모습이 보인다. 허벅지 위에 카타나를 올려 둔 녀석의 모습은 너무나 정적이라 살아 있는 생명체가 아닌 그림처럼 보였다.

"설마 사이클롭스 사무라이를 고를 줄이야……."

한 달 전, 나는 제1회 문학 공모전에서 우승한 로즈리안에게 3마리의 전설 펫을 제시했다. 내가 지닌 전설 펫은 스무 마리도 넘지만 죄다 컬렉션에 들어가 있어 남에게 줄 수 있는 종류는 그게 전부였기 때문이다.

하지만 아무리 선택지가 협소해도 전투형 펫을 선택할 줄은 몰랐다. 당연히 제국인들에게 큰 의미를 가지는 카심, 아니더라도 스윗 홈을 고를 거라고 생각했거늘.

"그래도, 사이가 좋아 보이지 않나요?"

"……그렇긴 하네."

정좌하고 있던 사이클롭스 사무라이, 젠타에게 새하얀 머리칼을 깔끔하게 묶은 로즈리안이 다가간다.

그녀의 손에는 커다란 냄비가 들려 있었는데, 그게 젠타의 손으로 넘어가자 무슨 소주잔 같다.

"~~~~."

"~~~~."

둘이 뭔가 대화를 한다. 거리가 워낙 먼 데다 민첩 수치가 낮아서 알아들을 수는 없지만, 적어도 그들 사이의 분위기가 온화하다는 것 정도는 알 수 있다.

아무래도 로즈리안이 넘겨 준 것이 무슨 차 종류였던 듯 젠타가 차분한 태도와 자세로 입만 축이듯 천천히 마신다.

"……뭐, 좋게 생각하지. 저런 게 옆에 붙어 있으면 적어도 사고가 날 일은 없을 테니."

나는 잠시 그들을 구경하다 고개를 돌렸다.

"헤이즈는?"

"29층에 방을 구해 주었습니다. 같이 온 아이도 같은

층에 자리 잡았고요.”

“레드라고 했던가.”

10대에 불과한 꼬맹이지만 비범한 재능을 가졌다는 존재.

헤이즈가 대충 언급한 말이 있어 나는 그녀의 정체를 알고 있었다.

‘미래의 영웅.’

영웅 클래스인 엘리멘탈리스트(Elementalist)와 전설 클래스인 마스터 위저드(Master wizard)의 가능성을 품은 자.

‘클래스 카드의 설정을 보면 엘리멘탈리스트는 30대, 마스터 위저드는 120살이었지. 외모는 둘 다 20대였지만 말이야.’

물론 그것들은 다 ‘가능성의 세계’에서의 일이기 때문에 실제로 레드라는 소녀가 전설급에 이른다는 보장은 어디에도 없다.

그러나 스페셜 보스의 과거 버전이라 할 수 있는 에드워드의 신화적인 재능을 생각해 보면 그녀의 재능 또한 실로 대단할 것이다.

물론 그 재능을 개화할 가장 빠른 방법은 지금 당장 그녀에게 전설 클래스를 부여하는 거지만.

‘굳이 그런 폭탄을 만들 이유가 없다.’

당장 인류가 위험한 것도 아닌 상황에서 괜한 모험일

뿐이다. 워낙에 선하고 정의로운 성격이던, 더불어 나와의 인연이 있던 헤이즈와 달리 [다른 세계선]의 영웅들이 무슨 생각을 할지 누구도 장담할 수 없었다.

능력 있다고 막 가져다 쓸 거면 전 무림맹주. 현 참마기사 녀석에게 검왕 클래스를 넘겼겠지.

"그래…… 일단은 푹 쉬게 두고 언제 한 번 얼굴이나 보자고 전해."

"네, 폐하."

나는 플라워가 집무실을 나간 뒤 차분히 커피를 마시며 도시를 내려다보았다.

"이제 아르데니아는 완전히 안정되었네."

8개의 화점에 신화급 성을 짓게 되면서 몬스터들의 공격을 막을 수 있게 되었다. 예전처럼 날마다 온 대륙을 쏘다니거나 어딘가를 지키고 있을 필요가 없는 상황.

즉.

"이제 결정을 해야 할 때군."

한동안 필사만 죽어라 하느라 미뤄 두었던 일을 처리할 시간.

"뭘 익힐지."

네 명의 대마법사가 동원된 일주일간의 대수술 결과 나는 천형이나 다름없던 폐급 마나 적성을 이겨 낼 수 있었다.

눈을 감아도 느끼지는 마나의 흐름.

굳이 자세나 호흡을 살피지 않아도 자연스럽게 읽혀지는 기세(氣勢).

의지를 일으키는 것만으로도 움직이는 마나는 이루 말할 수 없는 감동이다.

'하지만 냉정하게 생각해 보면…… 내 전력은 그다지 달라지지 않았어.'

그렇다. 달라지지 않았다. 왜냐하면, 폐급 마나 적성 상태에서 너무나 강대한 존재가 되었기 때문이다.

그토록 염원하던 마나의 재능을 얻었지만, 굳이 말하자면 이제 출발선일 뿐이다.

맨손으로 특수 장갑을 뜯어내는 지금, 어느 세월에 마나를 쌓아 유의미한 수준에 이를 수 있다는 말인가?

그러나 기껏 폐급 마나 적성을 지웠는데 겨우 감지 능력 하나 얻은 거로 끝낼 수도 없던 만큼 여러 가지 선택지를 곱씹는다.

"일단은 무공."

가장 끌리는 선택지다. 고작 입문자급 내공으로 이 야만의 세상에서 20년을 살아온 나다. 삶과 죽음의 경계에서 무(武)를 궁구(窮究)해 온 내 무공 이해도는 이미 대가의 경지라 말해도 부족함이 없겠지.

그러나 내공.

'진짜가 아니지.'

나는 지금도 내공을 다루지만, 엄밀히 말하면 그건 제

대로 된 내공이 아니다.

대자연의 기운을 단전에 축기(蓄氣)해 쌓은 내공이 아니라 앎의 힘으로 차크라를 열어 구현한 내공이기 때문이다.

기공의 효과. 그러니까 순간적인 내공 방출이나 땅에 뿌리 내리는 공능 등은 사용할 수 있지만 어디 내공의 효과가 그게 전부던가?

실제로 거인족의 랜드 브레이커를 사용하고 있음에도 내 몸에는 무공 수련자 특유의 변형이 없다. 덩치가 커지지도, 육체가 강건해지지도 않는다.

이제 축기가 가능해졌으니 직접 내공을 쌓아 전력을 강화시킬 수 있다는 말이지만.

"어느 세월에 내공을 쌓냐……."

그렇다. 그게 문제다. 내공은 하루아침에 쌓이는 종류의 힘이 아니라는 것!

"그런 면에서는, 마법이 낫지."

마법 계통 중에는 능력만 된다면 빠르게 성장할 수 있는 것들이 존재했다.

[마법]의 차크라를 연다면, 거기에 전설이나 신화급 마법 클래스를 장착한다면 빠르게 성장할 수 있을 것이다.

"그리고 생체력."

무지막지한 돈을 씹어 먹고 덩치를 키운 컬렉션과 수많은 몬스터를 학살해 64레벨에 이른 내 신체 스텟은 이미 엔간한 초월자보다도 높다. 지금 이 몸에 생체인자를 받아들이고 진화를 거듭한다면…….

그야말로 드라마틱한 전력 상승이 일어날 것이다.

"……."

다 마신 커피잔을 내려놓는다. 그래 사실은 알고 있다. 고민거리도 아니라는 것을.

"생체력이 최강이지."

당연한 이야기다. 내 육신은 이미 너무나 강력하고 전투 예지는 사실 무공보다는 생체력 수련자에게 더 유용한 힘이다. 기감이 떨어져 그냥 맞으며 싸우는 생체력 수련자에게 전투예지까지 있으면 실전에서 어떤 위용을 보일 것인가?

그러나.

"무공이 하고 싶은걸……."

이게 참 미련하고 비효율적이라는 걸 안다.

요소. [무공]의 힘으로 이미 절정 고수를 넘어서는 내공을 휘두르고 있는 상황에 언제 쓸 만해 질지 까마득한 축기를 시작한다니? 그야말로 시간 낭비에 불과하다.

그러나 그럼에도.

하고 싶다.

"진짜 마공이라도 찾아 봐야 하나…… 천마신공이랑 흡성대법. 식마공이 그렇게 축기가 빠르다던데."

결국, 나는 정보를 더 구해 보기로 했다.

"로그아웃."

지구로 넘어가 인터넷을 뒤진다.

〈천마신공에 입문하려는 어린 양들에게〉

〈천마등천신공(天魔登天神功)〉

〈천마흡마공(天魔吸魔功)〉

〈천마(天魔) 문워크(Moonwalk)〉

〈천마역근공(天魔易筋功)〉

〈천마…… 〉

천마신공의 온갖 바리에이션들이 주르륵 등장한다. 단순히 '천마신공이 강력해서.'라기에는 너무나 많은 파생 심법들.

이는 천마신공이 강력하면서 동시에 너무나 높은 난이도를 가지고 있기에 벌어진 현상이다. 그냥 익힐 수가 없으니 눈물의 똥꼬쑈라도 해 보는 것이다.

"역시 답은 흡마공인가? 마침 천마흡마공이라는 게 있다니 몬스터들의 기운을 흡수해서……."

그런데 그때였다.

웅!

익숙한 감각이 느껴진다. 왼팔을 들어 보니 제로섬이 진동하고 있다. 나는 잠시 고민하다 고개를 흔들었다.

"이걸…… 굳이 저장할 필요는 없겠지."

마침 한가한 상황이다.

팟!

SF적인 느낌이 나는 말끔한 방으로 이동한다. 전에 듀얼 어쩌고 하는 괴상한 게임 속과 전혀 다른 느낌.

낯설면서도 익숙한 감각에 나는 그곳의 정체를 파악했다.

"……내면세계."

"그래. 내 내면세계야. 아직 4층이라 그다지 넓지는 않다."

먼저 앉아 있던 멀린이 호로록 차를 마신다. 그리고 그 옆에 있는 뭉개진 자루는 신기하다는 듯 주위를 둘러보았다.

"이게 안 넓은 건가요? 제 방은 단칸방보다 작은데……."

아무래도 이 둘 역시 내면세계를 가지고 있는 모양이다. 하기야 내가 화점을 차지해 층수를 높이고 착점을 차지해 외부 요소를 만들었듯 그들 역시 각자의 방식으로 차크라를 개방했을 것이다.

"전에 끌려갔을 때와는 다르군요."

내 말에 멀린이 놀란다.

"끌려오다니. 그럼 내 게임에 온 게 사고란 말이야?"

"굳이 말하자면…… 예."

"나 참. 인제 와서 강제로 남의 게임에 끌고 가? 이거 시작한 지 몇 년째인데 이런…….”

잠시 생각에 잠기는 멀린. 나는 문득 떠오르는 게 있어 인벤토리를 열었다.

팟!

역시나 짐작대로 아이템이 꺼내진다. 현실의 그 무엇도 가져올 수 없는 내면세계지만…… 아이템들만은 가져올 수 있는 것이다. 실제로 멀린은 이 세계에서 스펠 카드를 사용하지 않았던가?

“멀린. 혹시 이거 필요하십니까?”

7장의 전설 카드를 보여 주자 멀린이 눈을 동그랗게 뜬다.

“전설 카드? 아니 왜 다크 스타의 카드를 네가 가지고 있어?”

“현실에 나타난 몬스터를 잡아 얻었지요.”

“아, 그 몬스터 사태인가 뭔가 하는…… 드랍 더럽게 안 되던데 전설 장비까지 떨궜단 말이야?”

신기하다는 듯 말하지만 별로 동하는 표정이 아니다.

“별 의미 없나 보군요.”

“내가 다크 스타 개발자이자 운영자라니까? 마음만 먹으면 초월 아이템을 수천 개씩 복사할 수 있어.”

“……아니 뭐라고요?”

어이가 없어서 되물었지만 생각해 보니 당연한 일이다. 개발자이자 운영자이면 아이템 복사가 문제겠는가?

그러나 그렇게 생각하면 문제가 있다.

"아니, 그러면 왜 쫓기고 있던 겁니까? 사기 덱을 만들어 다 쓸어 버리면 될 텐데?"

"그게 그렇게 안 되니까. 전설 카드 수천 장이 있어도 흥행력이 딸리면 덱에 넣을 수가 없…… 어라?"

거기까지 말한 멀린이 멈칫한다.

"아니, 이게 뭐야…… 흥행력이 이미 담겨 있어?"

조금 전까지와 달리 내 전설 카드들을 보고 멀린의 눈이 반짝인다.

"바로 쓸 수 있는 전설 카드 7장……."

내가 몬스터제 장비들에 과금력이 이미 들어있다고 느끼는 것과 마찬가지 상황. 그는 잠시 가만히 카드들을 보다 말했다.

"너, 혹시 마나를 쌓는 거로 고민 중이지 않아?"

깜짝 놀라 묻는다.

"그걸 어떻게……."

"예전부터 폐급 마나 적성이었다면서. 그걸 회복했다면 당연히 이제 문제는 마나지. 내가 지금 보니 아직 안 쌓았군. 마력을 쌓을지, 오오라를 쌓을지, 내공을 쌓을지 모르지만……."

멀린이 허공에 손가락을 움직인다.

띠띠띠띠~ 띠로리~

허공에 수십 개의 숫자가 주르륵 지나간다.

"……죄송하지만 수련법은 이미 충분히."

"아니 이제 와서 무슨 수련법으로 그걸 해결하려고 그래? 훨씬 편한 길이 있는데."

"편한 길이라니 그게 뭡니까?"

의아해하는 나를 보며 멀린이 뭐 그런 멍청한 질문을 하느냐는 표정을 지었다.

"뭐긴 뭐야?"

파앗----!!

공간을 찢어 버리며 불타는 뭔가가 모습을 드러낸다. 고작 엄지손톱만 한 크기지만 마치 태양처럼 빛나는 무언가!

'아니 저건 뭐길래 내면세계까지 들어오는데?'

내가 황당해하거나 말거나, 멀린은 자신만만하게 웃으며 말했다.

"쩌는 영약(靈藥)이지."

"쩌는 영약이라니……."

피부가 타오르는 듯 뜨겁다. 실제로 열이 가해지고 있는 것이 아니다.

그저 활성화된 영감이 저 작은 구슬에 담겨 있는 파멸적인 힘을 느끼고 있기에 벌어지는 현상.

아마 차원 송곳 심장을 수술받기 전에 저걸 봤다면 그냥 빨간 보석이라 생각했을 것이다.

"자, 이거 설명 읽어 봐."

그의 말에 타오르는 보석을 가만히 살펴본다. 그러나 아이템 창이 떠오르거나 하는 일은 없었다.

"……창이 안 뜹니다만."

"이게 아이템이 아니라는 뜻이지. 아이템도 아닌 물건이 내면세계로 올 수 있었다는 이야기야."

그의 말에 짐작 가는 바가 있었다. 당장 내가 왼팔에 차고 있는 제로섬도 그런 경우가 아닌가?

"초월병기란 말입니까?"

물건도 아니고 소모품이? 황당해하는 내게 멀린이 답했다.

"정확히는 절대성, 만변성, 혹은 신성 중 하나를 품었다는 뜻이지. 이건 그중 만변성에 신성이 깃든, 정확하게 설명하자면 게럴트에 신성이 추가된 물건이야."

우주 공용 화폐, 게럴트.

그것은 사실 신용의 단위가 아닌 희귀 금속의 이름이다. 말하자면 우주 공용 화폐 게럴트라는 것은, 대우주가 일종의 금본위제(金本位制)로 굴러간다는 이야기인 것이다.

'아, 그럼 내 제로섬도 게럴트겠구나…… 하긴 초월병기 필수 재료라니.'

그러다 문득 호기심이 생긴다.

"그럼 이게 몇 게럴트짜립니까?"

"가공이 여러 번 되어서 정확하지는 않지만…… 대략

2,200억 게럴트 정도 되겠지."

그의 말에 잠시 계산한다. 1게럴트는 현재 3,000원.

즉, 2,200억 게럴트는…….

"……."

잠시 뇌가 정지한다. 뭔가 수치가 이상했기 때문이다. 말이 안 되는. 국가 예산급 금액이 튀어나왔다.

660조(兆) 원.

충격에 빠진 내 모습에 멀린이 고개를 끄덕인다.

"비싸긴 하지 게럴트가 워낙 희귀해 자체 생산 설비가 발명되기도 했지만, 아무래도 그건 인건비가 너무 많이 들거든."

"비싸긴 하지라니……."

어이가 없어서 헛웃음이 나온다. 아무리 그래도 그렇지 이게 말이 되는 소리인가?

고작 계륵 같은 전설 카드 7장이랑 이런 걸 교환해 주겠다고?

'완전 땡큐긴 한데.'

그렇게 생각하며 조심스레 묻는다.

"저기 혹시…… 그냥 안 먹고 팔아서 돈으로 만들 수 있나요?"

"……."

멀린이 어이없다는 표정으로 바라보았지만 꿋꿋하게 그 시선을 견딘다.

당연한 일이다.

저 영약이 쩔어 봐야.

'아니, 쩔기는 하겠지.'

660조짜리 영약이 쩔지 않을 이유가 없다. 아니 쩌는 수준을 넘어 아주 미쳐 돌아가는 수준일 것이다.

그러나…… 과금력 660조 원이면 훨씬 더 엄청난 힘을 발휘할 수 있다. 나는 부끄러움을 무릅쓰고 항의했다.

"하지만 660조 원이잖아요! 게임 회사를 아예 사도 될 정도인데요?"

내 말에 멀린이 깜짝 놀랐다.

"뭐 660조밖에 안 된다고!? 아니, 잠깐 그럼…… 너네 1게럴트에 3천 원이냐?"

계산도 참 빠르다.

"아, 네 대충 그 정도."

"아니, 요새 게럴트 시세가 얼마나 올랐는데 3천 원밖에 안 돼? 너희 밥 한 끼 사 먹는데 얼마 정도 드냐? 100원? 120원?"

무슨 재벌 2세나 할 법한 말에 어이없었지만 어쨌든 답한다.

"짜장면하고 탕수육 세트면 만 원 정도?"

"……아냐. 음식값이 이상한 걸 수도 있지. 최저 시급이 얼마냐?"

"1만 2천 원 정도……."

"와, 미친! 최저 시급으로 1시간에 4게럴트를 벌 수가 있다고? 이게 말로만 듣던 낙원인가 뭔가냐? 와, 소문은 들었어도 이 정도라니."

기막혀하던 멀린이 이내 고개를 절레절레 흔든다.

"와. 왜 흥행력이 아니라 과금력 따위를 신경 쓰나 했더니 세상을 잘 만났군. 게임도 완전 갓겜이 걸려 가지고."

"가, 갓겜이요?"

매일 쓰레기 같은 과금 게임이라고 욕했던 나로서는 그야말로 아연해지는 말.

그러나 멀린은 짜증 난다는 반응이다.

"제 복을 모르네. 아, 내가 저 게임에 들어갔으면 벌써 중급 신위 찍고 날아다녔는데…… 아! 왜 카드게임. 아! 내가 왜 이딴 걸 만들어서……."

작게 한탄하던 그는 이내 설명해 주었다.

"나는 흥행력. 너는 과금력. 저 녀석은 랭킹력이라고 다르게 부르지만…… 사실 이 모든 것들의 근본은 같다."

"근본은 같다……."

"그래. 모두 업(業). 카르마(Karma)야. 게임을 흥행시켜 많은 사람들이 하게 만드는 것. 상대방과 싸워 승리하고 승리하는 것. 그리고."

"돈을 벌어서 사용하는 것……."

돈은 문명사회의 모든 것이다. 사람을 웃게 하고, 울게

하고, 이 세상 모든 것에 가격을 매기는 것이다. 수천 수억의 사람을 움직이게 하고 초월자마저 일하게 하는 힘!

"상황이 서로 다르기 때문에 방법이 다른 것뿐이지 조건만 클리어 하면 각자의 방법으로도 업을 쌓을 수 있다. 예를 들어 그 리벤지에서 공성전 등에서 [승리]하는 것으로도 과금력이 올라갈 테고, 심지어 나도 초반엔 과금으로 흥행력을 쌓을 수 있었다."

"그럼 계속 그렇게 하면 되는 거 아닙니까?"

"그게 되면 무한히 과금력을 얻을 수 있게? 애초에 이건 내 게임이잖아."

"아."

듣고 보니 그렇다. 애초에 다크 스타는 그가 만들어서 서비스하는 게임.

그가 거금을 들여서 과금하면 그 돈은 그의 주머니로 들어온다. 그리고 그 돈을 다시 과금하고 다시 그 돈은 그의 주머니로 들어오고……

"500만 원 만에 끝나더군. 게임에 과금해서 얻는 과금력은 게임이 가진 총액. 즉, 흥행력을 넘어서지 못하는 거야. 안에서 돈을 회전시키면 과금력이 늘어나는 대신 흥행력이 깎인다."

그의 말에 멈칫한다.

'어라? 이거…….'

문득 깨닫는 바가 있었다.

'요번 광고가 바로 그런 경우 아닌가?'

내가 네메시스에게 받은 300억짜리 광고가 그가 말하는 [안에서의 회전]이다. 당장은 과금력이 늘어나지만, 총체적인 흥행력은 깎여 나간다는 뜻.

'앞으로 자제해야겠네.'

지금까지야 리벤지 자체의 흥행력이 워낙 많으니 괜찮았지만, 이런 광고를 계속 반복하면 과금을 해도 소용없는 상황에 처할 수 있었다.

"즉 갓겜이라는 건……."

"내 흥행력 단위는 게럴트지만…… 아마 네 과금력 단위는 원이겠지?"

"아, 네."

"과금한 현금과 과금력의 비율은 얼마 정도지?"

"대략 일대일 정도입니다."

"그게 무슨 뜻이겠어?"

"……?"

영문을 몰라하는 내 모습에 멀린이 말했다.

"네메시스가 리벤지로 번 돈의 90% 이상을 재투자한다는 뜻이다."

"……!"

듣고 보니 놀라운 일이다. 다들 쓰레기 같은 과금 게임이라고 욕하지만…… 그렇게 번 돈을 자기 주머니에 안 넣는다는 뜻이 아닌가? 그러고 보니 요번에 적용한 1급 심도를 구현하기 위해 어마어마한 돈이 들어갔다고 들었다.

심지어 멀린은 다른 이야기를 꺼냈다.

"게다가 네메시스는 리벤지 하나만 굴리잖아. 예를 들어, 리벤지에서 번 돈으로 새로운 게임을 만들었다고 생각해 봐라. 그럼 어떻게 될까?"

"설마 흥행력이 깎이는 겁니까?"

"회사에서 거기에 쓴 돈만큼."

"……!"

"이제 알겠냐? 갓겜이야, 갓겜. 회사 열심히 굴려서 돈을 어마어마하게 벌고, 심지어 그렇게 번 돈을 다 재투자하는 개발사라니…… 진짜 내 게임 그렇게 굴려 줄 사람 있으면 매일 업고 다닐 거다."

"리벤지가 갓겜이라니……."

믿을 수 없는 일이다. 이게 정말 현실이란 말인가?

경악한 내 모습을 지켜보던 멀린이 고개를 절레절레 젓고는 화제를 넘긴다.

"그리고 이 영약은 남한테 팔 수가 없어. 남한테 팔 수 있으면 아무리 흥행력이 깃들어 있는 카드라고 해도, 전설 7장이랑은 안 바꿔 주지. 신화 7장도 아니고."

너무나 맞는 말이었기에 반박할 수 없는 이야기. 멀린이 설명했다.

"이 영약은…… 게임으로 치면 버그 아이템이야. 팔기는커녕 물리 세계로 들고 나가는 순간 정지를 먹는다."

"……정지?"

"그래. 그리고 물리 세계에서 정지는 뭐다? 곧 죽음이다."

이해할 수 없는 말에 절로 고개가 기울어진다.

'아니 게임에야 버그가 있지만, 현실에 버그가 어디 있어?'

게다가 정지를 먹인다니. 현실에서 그런 일이 가능한 존재는…….

"아니, 잠깐만요."

문득 떠오르는 가설에 황당해하는 내게 멀린이 말한다.

"그래 맞아. 창조신한테 걸려. 거의 설정붕괴탄(設定崩壞彈)을 아무한테나 쏘는 수준의 어그로를 끄는지라…… 아이템 복사를 해도 유통이 불가능하지. 현재 이걸 넘길 수 있는 건 [그]의 시선에서 벗어난 너희 둘뿐이야. 그마저도 장비로는 못 만들고 먹는 것만 가능하지."

"현실에서 아이템 복사라니……."

기막혀하는데 우리 둘 사이의 대화에 끼지 못하던 뭉개진 자루가 손을 든다.

"저, 저는요? 저도! 저도 개쩌는 영약 좋아합니다."

그의 말에 멀린이 웃는다.

"오 그래? 그럼 너는 나한테 뭘 줄 건데?"

"어, 제가 드릴 만한 건……."

팟!
뭉개진 자루의 손에 한 자루의 검이 생겨난다.

[쉐인의 검(3레벨)]
물리 계수 0.7
[주문검(呪文劍)(일반)]

나와 멀린은 동시에 고개를 흔들었다.
"잡동사니네."
"심지어 흥행력도 없잖아."
차가운 반응에 뭉개진 자루가 울상이 되었다.
"지, 지금은 제가 가진 게 없지만 어떻게든 은혜를 갚을 겁니다!"
당당한 태도였지만 씨알도 먹히지 않는다.
"아무리 넘길 사람이 너희 둘뿐이라지만, 그냥 먼저 달라는 건 좀 아니지."
"하지만 킬리언스님은 저한테 클래스 카드를 주셨는걸요!? 저는 그 힘으로 브론즈 5에 올라섰습니다!"
"아니, 그깟 클래스랑 이거를 비교한다고?"
멀린이 헛웃음을 짓더니 오른손을 들었다.
"덱을 꺼내도 되겠나?"
그의 말에 문득 궁금해져서 묻는다.
"저기, 그거 꼭 허락 받아야 하는 겁니까?"

"아니, 이건 듀얼리스트로서의 예의…… 아 제길. 그것들한테 옮았네."

투덜거리며 허공에 떠오른 7개의 덱 중 하나를 집자 나머지 덱들이 사라진다. 그의 앞에 다섯 장의 카드가 늘어서고 덱은 좌측에 고정된다.

웅!

1초 만에 마나를 불어넣어 마나 구슬을 만든다. 다만 전과 다르게 이번에는 그냥 두 번째 마나 구슬을, 세 번째 마나 구슬을 만든다.

어차피 적이 없는 상황이니 턴은 상관이 없다는 모습이다. 그가 마나 구슬을 만들 때마다 덱에서 카드가 자동으로 1장씩 드로우된다.

나는 손을 들어 질문했다.

"아니, 잠깐. 이런 식이면 아무도 없는 곳에서 10턴 동안 마나를 모아 시작부터 10턴 주문을 사용하면 되지 않습니까?"

"마나 구슬이 그리 쉽게 만들어지지는 않아. 게다가 [적]이 없이 30초가 지나면 마나 구슬이 초기화되지. 문제는 꼼수를 사용하는 놈들이 있다는 거지만."

"꼼수?"

"하, 몬스터 놈들이 그따위 플레이를 하니 미칠 지경이야, 진짜. 마나 생장! 드윈의 수술대! 마나 회복의 비!"

삽시간에 10개의 마나 구슬이 완성되고 그의 앞에는

고급스러워 보이는 수술대가 생긴다. 그 후 멀린이 가볍게 손짓하자 뭉개진 자루가 그 위로 이동된다.

"멀린 님?"

"부여! 아스트랄 바디(Astral body)!"

고오오오!

10개의 마나가 모두 사라지며 신령스러운 기운이 뭉개진 자루의 몸에 깃든다. 그리고 그 상태에서.

"마나 회복의 비!"

마나를 모두 회복하고.

"부여! 환골탈태(換骨奪胎)!"

번쩍!

"끄…… 윽!"

눈부신 빛과 함께 뭉개진 자루의 얼굴이 고통으로 물든다. 멀린이 말했다.

"이대로 나가서 주문이 완료될 때까지 버텨. 너 몸 상태가 아주 엉망이던데, 이것만 해도 예전과는 차원이 달라질 거다."

"끄으읏……! 가, 감사…… 합니다! 형님! 대, 대가리…… 오지게…… 박습니다!"

나는 깜짝 놀랐다.

'환골탈태 상태에서 말을 해? 적용이 좀 늦는 건가?'

그러나 멀린 역시 놀랍다는 듯 말한다.

"……그래도 깡은 있군. 급할 때는 공격 기술로도 쓰는 카드인데."

"흐흐. 제 깡이 좀 지리고 씹고 뜯고 맛보고 즐기고……."

횡설수설하는 그의 모습을 멀린이 잠시 바라보다 피식 웃었다.

"이상한 말투…… 뭐 됐어. 기절만 하지 마라. 기절하면 주문이 중단될 테니까."

팟!

내면세계에서 뭉개진 자루가 사라진다.

멀린이 뭉개진 자루가 사라진 자리를 가만히 보다 말했다.

"시계은하 파라온계 출신이더군. 드워프가 세계의 패권을 쥐고 나머지 모든 종족을 노예로 부리는 하위 문명이지."

"벌써 찾으신 겁니까?"

"별로 어려운 일은 아니지. 2문명이라 간섭할 방법은 없지만 말이야. 성계신하고 싸워서까지 확보할 가치가 있는 것도 아니고."

나는 그의 말에 멀린이 뭉개진 자루는 물론 내가 사는 세상. 어쩌면 나라는 개인을 특정하고 있다는 사실을 알았다. 실제로 나와의 이야기 중에 그런 정보를 많이 흘리기도 했고.

물론 상관없는 일이다.

'지구에는 성계신보다 훨씬 무시무시한 게임 마스터가 있다. 나 역시 누군가에게 그리 쉽게 당할 수준이 아니고.'

어쨌든 그건 중요한 게 아니다.

“팔 수 없다면 복용하겠습니다. 그냥 먹으면 됩니까?”

쩌는 영약을 먹을 시간이었다.

물론 그냥은 안 된다.

“일단 스텟창 읊어 봐. 영약 때문이니깐 속이지 말고.”

“앗, 개인 정보를…….”

“헛소리하지 말고 바닥에 적어. 정 불만이면 내 것도 적어 주지.”

그렇게 우리는 서로의 스텟을 공개했다.

아이디 : 한재연

클래스 : 검신(신화)

칭호 : 신규 모험가(일반)

레벨 : 64

근력 : 415(+566) 체력 : 201(+420)

생명력 : 360(+454) 민첩 : 62(+515)

마나 : 30(+430) 마나력 : 81(+311) 항마력 : 55(+359)

회복력 : 120(+400) 마나 회복력 : 66(+406) 운 : 10(+32)

자유 스텟 : 0

상태 : 정상

내 스텟을 확인한 멀린이 휘파람을 분다.

“와, 평균 스텟이 엄청 높네. 다만 너무 중구난방이야…… 이게 그 컬렉션인가 뭔가 하는 방식의 문제인가.”

리벤지의 캐릭터들은 극단적인 스텟 배분을 하는 게 불가능하다. 초반이야 가능할지 모르지만…… 과금이 일정선을 넘어가면 결국 컬렉션을 다 채워야 하기 때문이다.

실제로 지금의 난 9강화 전설을 다수 넣어야 하는 미친 컬렉션을 제외한 거의 모든 컬렉션을 채웠고, 그나마 핵과금 콘텐츠인 직업 숙련도를 근력에 맞춰 차별점을 둔 상태.

반면 멀린의 스텟창은 달랐다.

타이틀

GM

아이디

멀린

상태

정상

생명력

121

항마력

免疫

근력

185

정신력

61

체력

98

내공

1,199

마력

1,199

재생력

86

집마력

1,022

순발력

180

행운

無

경험치

0혼

소유금액

9,999,993,331,111,123G 21S 20C

"아니 이게 뭔……."

평균적인 스텟은 나보다 떨어진다. 그냥 떨어지는 정도를 넘어 너무 낮은 게 아닐까 싶은 정도.

그러나, 몇 개의 스텟이 좀 이상하다.

"마력…… 1,199……? 내공 1,199……?"

집마력은 그보다 좀 적지만 역시나 1,022. 아무리 생각해도 이건 이상하다.

"뭔가 다른 계산식이 있나 보군요? 그러고 보니 스텟창 구조부터 다르고."

"스텟창 구조야 제작자에 따라 다르지. 지금 대우주에 돌아다니는 상태창 종류가 수십 개가 넘는다는 말도 있을 정도니…… 그래도 계산식은 같을 거다."

그의 말에 어이가 없어 되묻는다.

"그러니까…… 진짜 1,000스텟이 넘는다고요? 아니 그냥 1,000스텟이 아니라…… 1,100스텟도 넘겼다고?"

"꼼수로 1,100스텟을 넘기겠다고 나머지 스텟을 다 깎았지. 몸이 너무 약해서 감기에 걸릴 지경이야."

스텟은 100단위로 격이 달라지며, 900스텟은 흔히 말하는 초월 스텟으로 그 자체로 초월의 격을 가진 능력치이다.

뭔가 대단한 기연을 만났거나 특별한 혈통이라도 타고나지 않는 한 도달할 수 없는 영역으로, 심지어 대마법사 중에도 마력이나 마나력이 900에 못 미치는 태반일 정도.

그러나 스텟 달성의 어려움은 999에 도달하면 더욱 심해진다.

999는 속칭 [한계 스텟].

어떤 존재가 물질계에서 얻을 수 있는 능력치의 끝이란 이야기다. 드래곤이 늙어 죽을 때까지 마나를 쌓아도 999를 넘길 수는 없다는 소리.

'즉, 이건…… 권능(權能)이다. 신성(神性)을 품었다는 말이야.'

한계 스텟을 넘어서려면 물리 세계를 초월한 어떤 기적을 품고 있어야 한다.

타고난 신성, 어떠한 노력이나 위업으로 완성된 권능.

때문에 1,000 이상의 스텟은 [권능 스텟]으로 불리며 중급 신, 즉 황제 클래스의 자격으로 여겨지곤 한다.

"내공이, 내공이 1,100스텟이면 대체 몇 갑자입니까?"

떨리는 내 물음에 멀린이 어이없다는 표정을 지었다.

"이 수준까지 왔는데 무슨 갑자 같은 소리를 하고 있냐? 단순 양으로는 의미가 없는 수치야."

"그래도 대략 짐작하자면?"

"글쎄 100갑자(6,000년)도 예전에 넘겼고, 1,000갑자(60,000년)도 넘을 거 같은데."

"아니, 미친."

그야말로 미친 소리다. 천 년 내공도 신화적인 경지인데 무슨 1,000갑자가 튀어나온단 말인가? 단위가 너무 말이 안 돼서 허풍이라고 해도 심각한 수준!

그러나 내가 경악하거나 말거나 그는 내 스텟을 보고 골을 싸매고 있다.

"그나저나 이러면 곤란한데…… 그래도 근력이 얼추 900인 거 보니 가능성이 보인다. 리벤지에 초기화 포션 있지? 그것 꺼내고 마력, 내공, 오오라, 순영력 중 원하는 걸 골라. 아, 참고로 생체력은 안 돼. 내면세계에서 간섭할 수 있는 건 영혼뿐이니까."

뽐내지도, 자신의 정보 공개를 두려워하지도 않는 태도에 나 역시 천천히 침착을 되찾았다.

'그래, 좋게 생각하자.'

그렇다. 전혀 나쁜 일이 아니다. 마력이 1,100스텟. 그러니까 마력으로는 상급 신의 영역에 들어선 마법사에게 도움받는 것이다.

'이건, 그냥 상급 신도 아니다.'

1,100스텟도 아니고 1,199스텟. 내공과 마력면에서는 최상급 신에 근접한 거나 다름없다는 말이다.

"차크라는 어떻습니까?"

혹시나 하는 물음에 멀린이 어깨를 으쓱인다.

"우리 차크라는 채널은 세계를 구성하는 데 들어가서 추가로 키울 수 없어. 그렇게 생각하면…… 내 재능이 차크라였는데도 마법이랑 무공을 익힌 게 천만다행이지. 차크라 수련했으면 수련한 게 다 공으로 돌아갔을 텐데."

멀린은 생각보다 말이 많았다. 초반의 차분하던 분위기를 생각하면 신기할 정도.

'제법 친해졌다는 건가? 어차피 한배를 탄 사이라 그럴지도 모르지.'

그렇게 생각하며 인벤토리의 초기화 포션을 꺼낸다.

"내공으로 하겠습니다."

"내공인가. 좋아. 모든 스텟 포인트를 마나력에 넣어서 900스텟을 만들어. 마나력이 초월의 영역에 이르지 못하면 영약의 힘을 통제하지 못하니까."

"마나력 900…… 가능할 것 같기도 하고……."

나는 일단 포션을 마셨다. 이미 몇 번이나 스텟 리빌딩을 해 본 터라 두려울 게 없었다.

[초기화 포션을 섭취했습니다!]

[보너스 포인트 4,400포인트 추가되었습니다!]

나는 보너스 포인트를 근력과 생명력. 그리고 재생력에 나눠 투자하고 있었다. 충분한 생명력이 없으면 내 근력이 스스로의 몸을 파괴하는 문제도 있었고, 한 스텟에 보너스에 몰빵하면 점점 효율이 안 좋아지기 때문이기도 했다.

'그러나 단기 목표를 가진 지금은 그냥 몰빵.'

물론 그렇게 해도 마나력이 900스텟에 이르지 못한다.

100스텟도 훨씬 넘게 모자란 상황!

물론 방법은 있었다.

★☆전직 완료☆★

[스타 시커(Star Seeker)(전설)]

마나+100 마나력+180 마나 회복력+100 생명력+60 항마력+60

마나 회복 속도 50% 증가.

[메모라이즈(memorize)]

[사우전드 인챈트(Thousand enchant)]

마법사 전설 클래스로 전직. 모자란 마나력을 충당한다.

'역시, 여기에서는 공지가 안 뜨는군. 여기가 만약 아르데니아였다면 초월 스텟 개방 알림이 떴을 텐데.'

잡생각을 하며 전설 카드 7장을 넘기자 멀린이 붉게 타오르는 보석을 넘겨준다. 멀리에서도 열기가 느껴질 정도로 뜨거웠음에도 막상 잡으니 서늘한 감촉.

멀린이 설명했다.

"바로 먹으면 된다."

"담긴 힘이 지나친 것 같은데…… 주화입마(走火入魔)에 걸리지 않겠습니까?"

"내가 옆에서 통제해 줄 거야. 어차피 단전(丹田)은 의

념(意念)으로 확정되는 가상기관(假像器官)이니 내면세계에서 통제하는 것도 가능하거든. 네가 내 내면세계에 온전히 들어온다는 전제 조건이 클리어된 이상…… 운기를 대신해 주는 것도 가능하지."

"그렇군요."

순순히 고개를 끄덕이며 생각한다.

'여러모로…… 운이 좋군.'

만약 멀린이 사악한 성향의 초월자였다면 내면세계로 연결된 나와 뭉개진 자루의 상황이 아주 고달파졌을 것이다.

게임신의 사도라는 타이틀을 걸고 있는 만큼 내게 무슨 일이 생기면 대하가 수를 써 줄지도 모르지만…….

무슨 부모처럼 하루 종일 보호해 주는 것도 아니니 소용없는 일이겠지.

'아무리 다른 쓸 곳이 없다 해도 이런 초월적인 영약을 전설 카드 7장에 준다는 것도 말이 안 되고.'

거기까지 생각하고 나니 문득 의심이 고개를 쳐든다.

'그런데 그게 함정이라면?'

다른 34지구 출신이었다면 이런 생각을 하지 않았겠지만 나는 야만의 중세 랜드에서 온갖 배신과 협작질을 당해 봤다. 인간의 악의가 얼마나 개연성 없이 튀어나오는지 알고 있는 나로서는 위화감을 느낄 수밖에 없는 상황.

고오오--.

그리고 그 순간, 적색의 기운이 온몸을 뒤덮는다.

"큭……!?"

기겁해 보석을 내던지려 했지만, 손에 달라붙어 꼼짝도 하지 않는다.

아니, 그 정도가 아니라…… 보석이 손바닥을 통해 몸 안으로 들어왔다!

'아니! 진짜 함정이라고!?'

기겁하는 내 귀로 멀린의 비명이 들린다.

"뭐야?! 내면세계에서 퇴출당하고 있어! 아니, 육체적 변화도 아닌데 왜!? 설마 환골탈태인가? 아니, 이미 그 과정은 거쳐 간 듯했는데!?"

지금까지의 여유와 달리, 진실로 당황하는 모습을 보니 아무래도 그가 꾸민 상황은 아닌 듯하다.

문제는 그렇다고 상황이 해결된 것도 아니라는 것!

그리고 그 순간.

팟!

나는 멀린의 내면세계에서 퇴출당했다.

* * *

생체력은 일반적인 영능과 다르다.

어떤 천재가 있다면 신비가 없는 세계에서도 '최초의 누군가'가 깨우칠 수 있는 무공, 마법, 차크라, 오오라,

주술 등등과 달리…… 생체력은 스스로 깨우치는 게 불가능하다. 반드시 외부적인 개입이 필요했다.

생체인자(生體因子).

그 휘하에 수천 개의 행성을 포함하고 있는 우주적인 규모의 국가. 레온하르트 제국에서 만들어진 이 놀라운 발명품은 고작 수백 년 만에 무공, 마법 등과 같은 메이저 이능으로 거듭났다.

이 존재 때문에 생체력은 다른 이능과 달리 입문도 쉽다.

다른 생체력 수련자가 한두 달 주기로 생산해 낼 수 있는 생체인자를 먹으면 끝.

그리고 한재연은.

이미 그 생체인자를 먹은 적이 있다.

그는 그것을 '소화되어 똥으로 나왔다.'고 인식하고 있었지만, 그럴 리가 있나.

대상의 DNA를 근본적으로 진화시키는 생체인자는 애초에 소화되는 물건이 아니다. 그저 재연의 폐급 마나 적성 때문에 잠들어 있었을 뿐이었다.

그리고 지금.

재연의 영혼을 통해 들어온 초월적인 영약의 힘은 그 영혼을 담은 육신. 그리고 그 안에 잠들어 있던 생체인자를 일깨웠다.

쏴아아아---!

"뭐야? 예고도 없었는데 느닷없이 웬 비…… 엥? 구름도 없는데?"

"으악! 무슨 바람이야?"

"어? 지금 저 가로수가 자라는 것 같지 않아요?"

"꽃들이 불타고 있어요! 이거 무슨 이벤트인가요?"

광화문 광장이 소란스러워진다. 관광을 왔거나 산책을 하고 있던 사람들은 난데없는 괴현상에 놀라 발걸음을 멈췄다.

고오오오---

알 수 없는 파동이 퍼져 나간다. 전 인류가 능력자인 34지구의 시민들은 하나같이 그것을 느꼈다.

"아, 이거, 뭔가 느낌이."

"이상한데……."

공포도 두려움도 아닌, 뭐라 표현할 수 없는 기묘한 감각에 모두가 당황한다. 그리고 그것을 느낀 것은 일반 시민뿐이 아니었다.

삐---익! 삐---익! 삐---익! 삐---익!

느닷없이 경고음이 터져 나온다. 듣기 안 좋은. 도저히 무시할 수 없을 정도로 듣기 싫은 고음에 당혹스러워하던 사람들이 인상을 찡그린다.

"악! 내 귀! 이게 뭔 소리야?"

"어? 초코야?"

"이게 뭐지? 핸드폰이……."

사람들이 주위를 두리번거리고 있을 때 방송이 시작된다.

[경보! 경보! 이것은 실제 상황입니다. 모든 시민분께서는 대피 프로그램에 따라 안전 장소로 이동해 주십시오. 다시 한번 안내합니다. 이것은 실제 상황입니다. 시민들께서는 대피 프로그램에 따라 안전 장소로 이동해 주십시오!]

[20레벨 영능 재해 경고! 20레벨 영능 재해 경고! 모든 시민분께서는…….]

창밖이 소란스러운 그 순간.

재연의 원룸 안은 난장판이 되어 있다.

우드득! 쩌직! 우득!

콰악! 끼기긱!

온몸의 뼈가 박살 나고 피부가 갈기갈기 찢어진다. 근육이 끊어지고 내장이 파열되었다.

피가 부글부글 끓어오르고 체액이 말라 진액만이 눌어붙는다. 심지어 뇌까지 완벽하게 뭉그러졌다.

그것은 이미 시체라고 부르기도 미안할 정도로 처참한 몰골. 누군가 그 모습을 본다면, 감히 재연의 생존을 논하지 못했겠지.

그렇다. 재연은 죽었다.

의학(醫學)적으로, 그는 완전히 사망했다.

그러나.

영능학(靈能學)적으로는 아니다.

'뭔가…… 뭔가 잘못됐다.'

내면세계도 현실세계도 아닌 어떤 지점에서 재연은 그것을 인식했다. 그러나 문제가 생겼다는 걸 알 수 있었을 뿐 그 이유는 알 수가 없다.

오래전, 그로서는 20년도 훨씬 넘은 옛날에 먹었던 생체인자를 떠올리지 못했던 것.

'역시…… 주화입마겠지?'

그 때문에 그는 이렇게 생각할 수밖에 없었다. 멀린에게 내공을 희망한다는 뜻을 밝히기도 했고.

'후우…….'

결국, 아무것도 느껴지지 않는 무감(無感)의 감옥 속에서 자신이 할 수 있는 최선을 수행할 수밖에 없었다.

'주화입마면 정종 무공이 좋겠지. 역근세수경을 외워보자.'

자꾸만 아득해지려는 정신을 붙잡고 구결을 읊기 시작한다.

불문(佛門)이나, 도문(道門)의 정공(正功). 쾌진공 등의 사공(邪功). 천마 신공이나 흡마공 같은 마공(魔功).

검결(劍訣), 도결(刀訣) 등의 무결.

무에 대한 여러 관점을 설명하는 주해록(註解錄).

살아오며 겪었던 치열한 전투와 삶과 죽음의 경계를 걸어 오며 겪었던 체험까지.

천천히. 아주 천천히…….

그는 무학(武學)에 대한 모든 깨달음을 망라하며-.

두근.

그 간절한 일심(一心)에 따라.

육체가 진화를 시작한다.

두근!

바닥에 떨어진 살점 가운데에서 심장이 떠오른다. 한껏 메말라 있던 심장은 확정된 진화의 방향성을 향해 지체 없이 달리기 시작했다.

두근! 두근! 두근!

거센 박동과 함께 방 전체에 흩뿌려져 있던 핏물이 끌려온다.

그렇게 심장에 피가 들어가자, 네 명의 대마법사가 일주일 동안 짜서 올린 술식이 작동한다.

우우웅-!

박동할 때마다 재연의 영혼과 육신을 연결하는 차원 송곳 심장(Dimensional awl heart)의 힘이 중구난방으로 뿜어지던 영겁태양의 힘을 통제했다.

일주일 동안 열심히 주문을 짰던 대마법사들조차 감히 상상하지 못했던 효과다.

하기야 누가 예상할 수 있겠는가?

만일 그들이 자신의 수술을 받은 대상이 영혼 상태에서 초월급의 영약을 먹게 되고, 그래서 연결되지 않는 영혼과 육신을 강제로 연결하는 주문이 거꾸로 폭주하는 진기를 유도하는 효과를 발휘하게 되리라 예측했다면, 그것은 놀라운 통찰력이 아닌 망상병 초기 증상에 불과하리라.

두근! 두근--!

또다시 심장이 박동하자 마치 거대한 북을 친 듯 묵직한 울림이 퍼져 나간다.

마구잡이로 쏟아지는 영겁태양의 힘은 너무나 강대해, 차원 송곳 심장에 의해 통제됨에도 물질계에 현상을 강제할 정도다.

두근! 두근! 두근! 두근! 두근! 두근!

심장을 통해 쏟아진 막대한 진기가 단전으로 쏟아진다. 정확히 말하면 쏟아져야 하지만…… 지금 재연에게는 단전이 없었다.

어디 없는 게 단전뿐이랴?

지금의 그에겐 단전도, 팔다리도, 심지어 머리조차 없었다. 있는 것은 허공에 둥둥 떠 있는 심장뿐!

그러나 단전이란 원래 실존하지 않는 가상의 기관.

무공 사용자들은 평생 단전의 존재를 느끼고 활용하며 그곳을 자신의 생명 다음으로 소중히 여기지만, 실제로 그들의 복부를 개방해 봐야 나오는 건 아무것도 없다. 그저 보통 사람과 똑같은 내장 기관이 있을 뿐.

하지만 바로 그 가상의 기관을 재연은 상상했다.

계속 갈망해 왔다.

이 순간에도 그가 계속 되새기는 온갖 무학, 온갖 심득, 온갖 경험은 바로 그것을 만들 충분한 데이터.

생체인자는 그 모든 것을 받아들였다.

꾸득! 끼이익!

대형 공장에서나 들릴 법한 굉음과 함께 살점이 얽힌다. 수증기가 되었던 핏물이 다시 뭉쳐 그 안으로 빨려 들어가자 성인 남성의 주먹만 한 크기의 내장 기관이 살아 있는 것처럼 맥동했다.

인간의 것이 아닌 것을 넘어 생명체의 것이 아닌, 마치 항공기의 엔진이나 기가스의 아이언 하트와 같은 그야말로 전무후무할 [물리적인 단전].

그리고 그곳에.

두근-! 쿵!

차원 송곳 심장에서 뿜어진 초월적인 내공이 쏟아져 들어차기 시작한다.

두근! 쿵--! 두근--! 쿵! 쿵! 쿵! 쿵!

퍼져 나가는 파동에 온갖 방어 주문이 걸려 있는 룸 타워조차 버티지 못하고 삐걱거린다. 당연히 룸 타워에 있는 다름 사람들 역시 놀라 밖으로 뛰쳐 나온다.

"으아악! 뭐야! 건물이 흔들려!?"

"무슨 일이야!? 진짜 초월급 몬스터가!?"

[경보! 경보! 이것은 실제 상황입니다. 모든 시민분께서는……]

[20레벨 영능 재해 경고! 20레벨 영능 재해 경고! 모든 시민분께서는…….]

경보는 계속 이어지고 있다. 홀로그램 광고판은 물론 일반인들이 데리고 다니는 스마트 펫들까지 입을 모아 내는 경보에 한 번도 이런 일을 겪어 본 적 없는 사람들이 당황한다.

"아니, 이게 무슨 미친 소리야…… 대피라니. 여기만큼 안전한 곳이 어디 있다고……."

"아니 그보다 20레벨 영능 재해라면…… 초월급 아니야?"

대피는커녕 다들 그냥 제자리에 서 있다.

당연한 일이다.

가히 절대에 가까운 평화만 있는 34지구 사람 중 누가 긴급 상황 따위에 익숙하겠는가? 심지어 개중 몇은 이게 몰래카메라 같은 게 아닐까 의심하며 주변을 살피기도 했다.

물론 그 오해는 길지 않았다.

쿵! 쿵! 쿵! 쿵! 쿵!

다섯 기의 거인이 광장에 내려섰기 때문이다.

"와! 이거 인급 기가스 맞지?"

"저 기종은…… 척준경(拓俊京)이다!"

"저것 봐. 김구(金九)야, 김구!"

"곽재우(郭再祐)! 와! 화면으로만 보던 걸……!"

환호하는 사람들을 보며 기가스들이 손을 내젓는다.

[긴급 상황입니다! 모두 대피해 주세요!]

[물러나세요!]

그들은 적당히 사람들을 밀어낸 후 영자력을 퍼트렸다.

기이이잉--!

결계가 펼쳐지며 광화문 광장 서쪽에 위치한 고층 건물, 룸 타워를 뒤덮는다.

[모두 대기! 뭐가 나올지 모른다!]

[아니, 뜬금없이 20레벨이 무슨 소리야? 통행이 보고된 초월자도 없는데!]

[이거 예능에 나왔던 그거 아닙니까? 초월급 몬스터? 와! 드디어 초월급 하고 싸워 보나?]

[저런…… 뒤지고 싶어서 안달이 났구나? 아무리 인급 기가스에 탔다지만 초월자한테 버틸 정도는 아니야!]

기가스 라이더들이 그렇게 건물을 둘러싼 사이. 룸 타워 안에서 움직이는 이가 있었다.

"아니, 이게 대체 뭐야! 이런 개진상 이웃사촌은 생각해 본 적 없는데!"

"알알알! 알알알! 알알알알!"

"써쓰야, 조용! 엄마 바빠!"

소드 마스터급 전투 경찰 송하나는 손발이 다 떨리는 내공의 격류 속에서도 매뉴얼대로 움직였다.

굉음이 터져 나오는 원룸 입구로 달려가 4개의 정을 박아 넣은 것이다.

"아, 괜히 화 돋우는 거 아냐? 아직 순직하기엔 너무 어린데…… 에라, 모르겠다! 이탈!"

팟!

삽시간에 공기의 질감이 변한다.

마도법구의 힘으로 그녀와 그녀가 지정한 공간이 현실의 반대편인 이면세계(異面世界)로 이동한 것이다.

"먹혔나? 아, 먹히기에 등급이 좀 높아 보이긴 했는데."

다행히 곧 그녀가 바라던 반응이 있었다.

두근--! 쿵!

"됐다!"

룸 타워 밖에 있던 기가스 파일럿들은 즉시 상황을 파악했다.

"벌써 대응했다고? 사건 터지고 이제 1분 30초째인데? 와. 요새 경찰 빠릿빠릿하네."

"마침 사고 지점에 전투 경찰이 거주하고 있었답니다."

"방식은 뭐야? 폐쇄? 봉인?"

"이탈입니다. 이면세계로 보냈다던데."

"그걸 당해 준다고? 20레벨이?"

"이렇게 되면 테러나 몬스터 사태는 아니라는 말인데……."

"일단 넘어갑시다!"

팟! 팟! 팟! 팟! 팟!

다섯의 기가스가 현실의 광화문 광장에서 이면세계의 광화문 광장으로 넘어간다.

그리고 그 순간.

두근-! 쿵! 두근-! 쿵!

거세게 심장 소리가 공간을 울리고.

쩌저적! 콰!

룸 타워가 무너지기 시작한다.

[…….]

[…….]

[…….]

[……와. 타이밍.]

곽재우(郭再祐)의 파일럿. 신동규 중장이 헛웃음을 지었다.

[그 전투 경찰이 누구라고? 이건 진급시켜야겠는데. 하마터면 대참사가…….]

쿠구궁!

마침내 룸 타워가 완전히 무너지고 그 위에 한 존재가 모습을 드러낸다. 헛웃음 짓고 있던 신동규 중장의 얼굴이 굳는다.

[모두 전투 준비!]

[주무장 가동시켜!]

[스펠 레지스트리 확인하십쇼! 제가 먼저 출발…….]

[잠깐! 잠깐 모두 멈춰!]

신동규 중장의 외침에 각자 무장을 꺼내 들던 인급 기가스들이 멈칫한다.

[왜 그러십니까, 선배님? 상대는 초월자입니다! 적어도 억제라도 해 두지 않으면.]

[멈추라면 멈춰. 하, 나 이거 참.]

그는 어처구니없다는 얼굴로 중얼거렸다.

[미친개, 저놈은 여기서 뭘 하고 있는 거야?]

* * *

"꺄아아악---! 뜨거워!"

재연은 새된 비명 소리에 간신히 정신을 차렸다. 고개를 들어 보니 드레스에 불이 붙은 꼬맹이가 발버둥 치는 모습이 보인다.

그리고 그 머리 위로.

하늘을 불태우는 거대한 빛.

위(僞). 영겁태양(永劫太陽).

신적인 존재들도 무기 같은 거나 만들지 감히 복용할

엄두를 못 낼 지고의 보물.

"아……."

"살려 줘! 죽는다! 나 죽어! 악!"

"시끄러워……."

"야! 저거 뭐야? 왜 자꾸 이상한 걸 들고 와? 악! 탄다……! 타 버려……!"

발버둥 치는 히페리온의 모습에 재연은 가만히 내면세계를 둘러보았다.

그가 구현한 집도, 바둑판도 몽땅 타 버리고 심지어 무량구층에 수납해 두었던 요소들까지 잿더미가 되어 있다.

남은 건 마검 히페리온뿐. 그마저도 죽는소리 하고 있다.

"시간이 얼마나 지났지?"

"몰라! 뜨거워! 저거 어떻게 좀 해 봐!"

"시간."

"10분? 15분? 정도야! 악! 탄다! 내가 타 버린다!"

"일단…… 나가 있어."

팟.

재연은 히페리온을 추방한 후 아무것도 없는 내면세계에서 가부좌를 취했다.

'참을성이 없네…… 이해가 전혀 안 되는 건 아니지만.'

격통이 느껴진다. 그야말로 온몸이 타오르는 듯한 작열통(灼熱痛).

그러나 괜찮다. 금방이라도 사라져 버릴 것 같던 허무감에 비하면 차라리 고통이 반가웠다.

'역시…… 무공이 해법이었군.'

눈을 감으면 태양의 열기가 하늘이 아닌 배 속에서 느껴진다. 하늘에 떠 있는 태양의 모습은 그저 이미지일 뿐이라는 말이다.

'운기해야 한다.'

몸에 들어온 영겁태양이 영혼과 정신을 불태우려 들고 있다.

"아…… 제길. 태양신공(太陽神功)이나 초열신공(焦熱神功) 같은 것도 외워 둘걸……."

그러나 수많은 무공을 숙지하고 있는 재연이라 해도 그런 것까지 손을 대지는 않았다.

속성 무공은 특수한 재능을 타고났거나 특수한 환경, 특수한 영약의 도움이 없으면 성장시키기 극히 어려운 무학이었으니까.

없는 걸 아쉬워할 시간이 없었다. 있는 것으로 해결해야 한다.

고고고…….

시간이 얼마나 흐르는지도 모른 채 내면세계 한가운데에서 끝없이 운기행공(運氣行功)한다.

정공(正功), 사공(邪功), 마공(魔功).

그 종류에 상관없이 모든 구결을 동원해 태양의 힘을

단전에 몰아넣는다.

'아…….'

그 과정은 순조롭다. 조금씩이지만 태양의 기운이 단전에 끌려 들어가는 게 느껴진다.

문제는 고통이었다.

'아프다…….'

작열통이 끊이질 않는다. 재연의 의지력은 그야말로 초인의 그것이지만, 의지로 이겨 내는 것도 하루 이틀이지 계산도 못 할 긴 시간 동안 계속 열기에 타오르니 미칠 지경.

잠깐 참는 거야 문제가 없지만, 운기를 언제까지 해야 하는지 아무런 기약이 없다.

'좋게 생각하자…… 그래도 운이 좋았어.'

차크라 경지가 구 층에 도달하며 얻어 낸 이 광활한 내면세계가 없었다면 그의 영혼과 정신은 작열통에 시달리는 게 아니라 그냥 불타 죽었을 것이다.

'게다가 마나력을 900포인트…… 이거 안 찍었으면 끝장이었다.'

마나가 에너지라면 마나력은 그것을 통제하는 힘이다. 초월 스텟에 도달한 마나력이 아니었다면 재연의 의지력과 상관없이 진기가 폭주했을 것이다.

"후……."

재연은 호흡을 골랐다. 끝없는 작열통에 정신이 나갈

지경이지만 여기서 포기할 수는 없었다.

"좋게 생각하자…… 좋게…… 귀족이라고 으스대던 잡것들한테 고문당할 때 보다는 낫다…… 이겨만 내면 적어도 10갑자…… 어쩌면 그 이상의 내공…… 그것만 있으면 검강 뿜뿜…… 호신강기로 레이저 포격도 막고…… 10억, 아니 100억, 1,000억을 벌어서 과금하고…… 주식도 사서 패치도 하고…… 9강화 장비들 컬렉션도 다 채우고…… 클래스 각성이랑 명성 개방도 하고……."

재연은 긍정적인 생각을 떠올리며 자꾸만 날아가려는 정신을 붙잡는다. 온갖 무공들의 구결을 읊고, 죽고 죽이던 치열한 전투의 순간을 떠올렸다.

그러나 동시에 생각했다.

뜨겁다고. 차가운 기운이 있으면 좋겠다고.

그 염원에 차크라가 작동한다.

쿵!

바둑판이 내려선다.

팟!

그리고 우상화점, 얼음 여왕의 낙원이 빛난다.

쩌저저적!

냉기가 뿜어진다. 고통에 일그러져 있던 재연의 얼굴이 한결 평온해진다.

그는 몰랐지만.

현실의 그의 육신, 정확히는 그의 피에 냉기가 깃들었다.

여기까지는 그의 염원대로였지만…… 아르데니아는 거기에서 멈추지 않았다. 일단 물꼬가 트여 버리자 자연스레 다른 화점들 역시 반응했다.

팟!

좌변화점, 대지성이 빛난다.

묵직한 기운이 현실에 만들어진 뼈대에 스며든다. 안 그래도 어지간한 합금 이상으로 단단하던 뼈가 더욱 단단하고 무거워진다.

좌상화점. 만독성이 빛난다.

그의 간에 독기가 스며든다. 물리적인 단전에서 그러했듯 만 가지 독을 해독하고 또 만들어 낼 수 있는 생체 기관이 만들어진다.

좌하화점, 불꽃성이 빛난다.

후끈한 화기가 근육에 깃들자 그의 몸을 휘도는 냉기와 충돌해 연신 수증기가 피워 올린다.

우하화점, 세계수의 성이 빛난다.

나무의 기운이 피부가 되어 뼈와 살을 뒤덮는다.

고오오---

바람의 기운이 폐에 깃든다. 번개의 기운이 신경에 깃든다. 빛의 기운이 두 눈에 깃들었다.

그리고 어느 순간.

두 눈이 떠진다.

번쩍!

한순간 칙칙하던 이면세계가 밝아졌다가, 다시 어두워진다.

"와, 미친 지금 눈 번쩍인 거 봤어?"

"세상에……."

수군거리는 목소리를 들으며 재연은 멍하니 서 있었다. 내디디고 있는 땅이, 주변을 둘러싼 수많은 사람이, 흘러가는 바람이, 그리고 그들이 나누고 있는 대화나 차고 있는 시계의 디스플레이가 한 번에 인식된다.

누가 설명해 주지 않았음에도, 나는 상당히 긴 시간이 지났다는 것을 알 수 있었다.

"추석이 지나 버렸네."

가만히 탄식한다.

"내 송편……."

그 누구도 예상하지 못하고, 짐작하지 못한 방식으로.

초월의 육체가 만들어진 순간이었다.

* * *

"대체 뭐야? 듣자 하니 큰 피해가 있거나 한 것도 아니라던데 굳이 나까지 부르다니."

삼단 같은 흑발을 허리까지 늘어트린 여인이 낮게 투덜거린다. 오랜만에 지구 땅을 밟았는데 옷도 못 갈아입고 현장에 가라니 화가 안 날 수가 없다.

"함부로 죽이거나 제압할 수 없는 대상입니다."

"아니, 누군데? 재석이 아저씨 딸자식이라도 돼?"

"그 정도가 아닙니다. 이번에 위대하고 위대하신 게임 마스터님의 사도로 임명된……."

부관의 말에 삐뚜름하게 걷고 있던 여인, 우주군참모총장 김소향이 어이없다는 표정을 지었다.

"게임 마스터님의 사도가 영능 재해를 일으켜? 피해는?"

"다행히 크지 않습니다. 재수 없으면 천 명 단위로 죽고 수백억 규모의 재산 피해가 일어날 뻔했지만…… 다행히 바로 근처에 강제 이탈 장치를 가진 전투 경찰이 있었습니다."

"게임 마스터님의 사도를 체포할 일은 없어서 다행이라고 해야 하나."

중얼거리며 차고 있던 시계를 툭툭 친다.

[이탈 프로세스 기동.]

[이면 세계로 진입합니다.]

팟!

단숨에 현실의 저편으로 돌입한다. 현실과 닮았지만, 현실이 아닌 공간.

목적지에 도달하기까지는 그리 긴 시간이 필요치 않았다.

고오오---!

다수의 기가스, 그리고 병사들이 둘러싼 한 가운데에 나체의 사내가 떠 있다.

접근할 수는 없다. 허공에 떠 있는 그의 주위로 압도적인 열기가 휘돌고 있었기 때문이다.

"와, 저게 뭐야?"

소향은 그를 보았다. 2미터가 넘을 정도로 과한 신장에도 그 사실을 전혀 느낄 수 없는 완벽한 비율. 아름다운 형상의 근육은 인간이 아닌 조각상을 보는 듯하다.

"오우. 근육 봐. 김장 직후 김치통처럼 꽉꽉 담겨 있네."

소향이 휘파람을 불며 현장에 다가가자 주변에 서 있는 인급 기가스. 곽재우의 가슴팍이 열리고 새하얀 머리칼의 중년 사내가 모습을 드러낸다.

그가 소향을 보며 손을 흔든다.

"오, 누님! 충성."

"징그러우니까 그냥 총장님이라고 불러, 인마."

"에이. 왜 그러십니까, 누님. 우리 인연이 인연인데 이러시면 서운합니다."

실실 웃는 신동규 중장의 모습에 소향이 인상을 찡그린다.

"서운은 지랄. 징그럽게 혼자 쳐 늙어 가지고. 돈도 많으면서 영약이라도 좀 챙겨 먹지 꼴이 그게 뭐냐?"

매서운 말투였지만 신동규 중장은 허허 하고 웃을 뿐이다.

"뭐, 몸이 아픈 것도 아닌데 그렇게까지야. 안 그래도 돈 쓸 데 많습니다."

"너…… 설마 아직도 그 똥겜 하냐?"

눈을 가늘게 뜨는 소향의 모습에 동규가 항의한다.

"똥겜이라뇨! 최신 기술이 적용된 히트 게임이거든요?"

"쯔쯔. 게임은 모름지기 블레이드&매직 같은 실력 게임을 해야지!"

"어우~ 틀딱 냄새."

"뭐, 뭐라고? 이 다 늙은 면상이……!"

티격태격도 잠시. 이내 진지해진 소향이 묻는다.

"이 열기는 뭐야?"

"정확히 파악되지 않습니다만, 마나 패턴으로 미루어 보아 내공입니다."

"차크라 아니야?"

"내공입니다."

"그래? 좀…… 기묘하네."

"뭐가 말씀이십니까?"

"그냥 봐서는 확신이 안 서네. 워로드."

[전쟁성좌(戰爭星座). 워로드(Warlord).]

[로딩(loading)…… 완료.]

웅!

기척도, 전조도 없이 20미터나 되는 묵빛의 거인이 모습을 드러낸다. 그리고 그 조종석 안에서 소향은 그제야 확신할 수 있었다.

팟!

워로드를 돌려보낸 그녀가 헛웃음 짓는다.

“저 녀석 9층인데?”

그녀의 말에 신동규 중장은 물론이고 현장에 있던 모두가 경악한다.

“네!? 차크라 초월자라고요? 저 어린 나이에?”

“몇 살이기에?”

“이제…… 25살입니다.”

“……와. 그건 좀.”

어릴 때부터 천재 소리를 귀에 못이 박이게 듣고 자란 소향조차 어이가 없어 할 말을 잃는다.

25살에 마스터의 경지에 올라도 천재라 할 만한데 그랜드 마스터라니? 그야말로 상식을 벗어나는 일이 아닌가?

게다가 말은 안 했지만…… 소향은 차크라 9층보다 더 신경 쓰이는 게 있었다.

‘저 육신…….’

현재 재연은 정신을 잃고 있는 상태다. 그러니 지금 느껴지는 이 어마어마한 압박감은 틀림없이 그의 정신이 아닌 육신만으로 발휘되는 것이었다.

뿌드득! 끼기긱!

고오오---!

그의 육신은 끊임없이 꿈틀대고 또 기운을 뿜어냈다.

시간이 흐른다.

하루, 이틀, 사흘, 나흘…….

한 달, 두 달, 세 달, 네 달…….

점점 많은 사람이 재연의 모습을 보러 왔다. 물론 아무나 온 것은 아니고 대한민국 정부에 허가받은 인원들만이 그럴 수 있었다.

소향은 종종 그를 보러 왔다. 그에게서 느껴지는 차크라 파동이 너무나 기묘해서, 그녀에게도 묘한 영감을 주었기 때문이다.

"늘 느끼는 거지만…… 짱 커."

느닷없는 소향의 말에 신동규 중장이 탄식한다.

"아, 제발 누님. 젊은 모습 하고 있으면 젊은 말투 좀 쓰시면 안 됩니까?"

"뭐래. 젊은 사람들도 이런 말 얼마든지 하거든?"

"아, 네네. 녀석이 큰 사이즈를 간절히 소망했나 보지요. 생체력은 간절히 바라는 소망을 이뤄 주지 않습니까?"

"특별할 것도 없는 이야기이긴 하지. 남성 생체력 수련자 중에 거시기 작은 놈이 단 하나도 없다는 이야기가 있을 정도니."

쓰잘 데 없는 잡담을 나누다 문득 진지한 표정으로 말한다.

"너희 부대 소속이었더군."

"여러 가지 의미로 보통 녀석은 아니었습니다. 일개 병사 놈 이름을 제가 알 정도였으니까요. 언젠가 다시 보게 될 거라고는 생각했지만, 설마 이런 식일 줄은 몰랐는데."

"하지만 아무리 생각해도 정상이 아냐. 아무런 역사(歷史)도 업적(業績)도 없이 초월지경이라니…… 진짜 신혈(神血)인가?"

"생각해 보면 게임 마스터님도 저런 케이스이긴 했죠."

신동규 중장의 말에 소향이 어이없어한다.

"야, 게임 마스터님은 그냥 신혈이라 그 경지에 오르신 게 아니야. 정지된 시간 속에서 수천수만 년 동안……."

거기까지 말한 소향이 멈칫한다. 그리고 고개를 돌려 신동규 중장을 바라본다.

"녀석에게 다른 '시간'이 있을 수 있다고?"

"대충 짐작되는 날이 있긴 합니다. 어제는 미친개였는데, 오늘은 어른스러운 모습을 보인다는 게…… 불가능한 일은 아니지만, 일반적인 경우는 아니니까요."

"어쩌면 보기보다 나이가 많을 수 있다는 건가……."

그들이 그렇게 심각한 대화를 나누고 있을 때.

대마법사 자격으로 자리를 지키고 있던 그린 드래곤 플

라워는 두 눈을 감고 있는 재연의 모습을 가만히 바라보다 자신의 복부에 손을 올린다.

'울려…….'

그것은 본능의 신호였다. 지금껏 그에게 끌렸던 것이 영(靈)적인 본능이라면, 이번 것은 그야말로 육체적인 본능.

즉.

'그는…… 이미 인간이 아니야. 이 정도면 초월종(超越種)이라고 불러도 될 정도다.'

드래곤과 인간 사이에도 아이는 태어난다.

그러나 그 아이는 인간도 드래곤도 아니다. 거의 모든 종족을 압도하는 우성인자인 용혈의 특질이 발현되지만, 나머지 반인 인간의 피 때문에 용이 되기도 부족하기 때문이다.

그 결과 태어나는 것은 흔히 말하는 용인(龍人).

드래코니안(draconian)이다.

용인은 비범한 재능과 우월한 능력으로 인간들 사이에서 두각을 드러내는 비범한 존재지만…… 그건 어디까지나 인간의 관점에 불과하다.

드래곤들 사이에서는 전혀 다른 인식인 것이다.

'장애아. 아니 어쩌면 그 이하의 존재지…….'

원래 자기보다 격하(格下)의 존재와 맺어지는 건 어디에서나 경멸의 대상이다. 재벌 2세가 편의점 알바랑 결혼하겠다고 하면 부모가 펄쩍 뛰고 누군가 빈국의 여성과 결혼한다고 하면 돈으로 데리고 온 것 아니냐고 편견의 눈으로 본다.

서로 뭐 하나 다른 것 없는 똑같은 인간끼리도 이렇게 급을 나누고 멸시하는데 하물며 하위 종이면 어떻겠는가?

심한 경우 하위종과 맺어지는 경우를 수간(獸姦)과 비슷하게 여기는 경우조차 있다. 대우주에 평등주의가 퍼져 나가며 그런 혐오를 함부로 휘두르고 다닐 수는 없는 상황이지만…… 본능적인 거부감까지 어찌할 수는 없는 일이겠지.

'하지만, 그는 달라.'

그러나 바꿔 말하면…… 대상이 하위종이 아니라면 상관없다. 격하의 존재가 아니라면 아무런 상관이 없다.

인간의 관점으로 설명하자면…… 친구가 빈국의 여성과 결혼한다는데, 그 처녀가 재벌 가문이거나 기업의 대표 같은 능력자인 경우.

이렇게 되면 당연히 이야기가 달라진다.

드래곤도 마찬가지였다.

'궁금하다…….'

플라워는 생각했다.

'그와 관계하면 어떤 아이가 태어날까? 신족은 아니니 신룡급은 아니겠지만…….'

그런 미친 생각이 들 정도로 강한 정신적, 육체적 충동이 몰아치고 있었다. 그가 인간이었을 때도 끌림을 느꼈을 정도였는데, 초월의 육신을 가지게 되니 충동이 더욱 강해졌다.

그러나 그 충동에는 중대한 문제가 있다.

그녀가 아직.

미성년자(未成年者)라는 문제가.

* * *

손을 뻗는다.

턱.

아무것도 없는 허공이 마치 고체처럼 잡힌다.

투명한 무언가가 있는 것이 아니다.

"공간을 잡는다……."

많이 들어 본 현상이다.

"만물저항(萬物抵抗)."

생체력의 가장 특수한 성질.

생체력은 모든 '힘'에 저항하며, 나아가 간섭할 수 있다. 차원을 밟고 뛸 수도, 검기를 때려 깨트릴 수도 있다.

이는 마검사나 차크라 소환사는 있어도 생체력 무림인이 극히 드문 이유이기도 하다. 만물저항 때문에 생체력 수련자는 버프를 받기도 힘들고 회복 마법도 잘 먹히지 않는다. 예외적으로 신력이나 신성력 정도가 좀 듣는 정도.

"여러모로 생각한 거랑 좀 다르네."

정신을 차리고 나면 수십 갑자의 내공을 가지게 되리라 생각했는데, 현실은 그렇지 않았다.

물론 그게 실망스럽다는 말은 아니다.

"이봐! 그 몸이 자랑스럽다는 건 이해하지만, 슬슬 옷 입지?"

"아…… 그렇군요."

그러고 보니 지금의 난 실오라기 하나 걸치지 않는 나체 상태.

그러나 굳이 부끄러워하거나 당황하지는 않았다.

'분위기를 보니…… 이 상태로 꽤 오래 있었나 보군. 그야말로 나체쇼인가.'

부끄러워하기엔 이미 너무 늦었다.

이럴 땐 차라리 뻔뻔하게 나가는 게 맞으리라.

"재연 씨."

그때 한편에 서 있던 플라워가 다가온다. 그녀의 손에는 한 벌의 정장이 들려 있다.

"아, 감사합니다."

바로 받아서 입는다. 그리고 깨닫는다.

"어라, 이거."

"평소 정장을 자주 입으시는 것 같아서 준비해 봤어요. 대단한 기능은 없지만…… 나름 궁극 마법이 걸려 있으니 내구성 하나는 무엇에 비교해도 꿀리지 않을 거예요."

뜻밖에도 내가 입은 정장은 원래의 그것이 아닌 플라워의 선물이었다.

"아니…… 설마 특급 마법기(魔法器)라고요?"

8클래스 주문 7종 이상, 혹은 9클래스 이상의 주문이 인챈트 된 마법 물품을 특급으로 분류한다.

아무리 34지구에 마법기가 흔해 빠졌다 해도 특급 마법기면 수십억을 호가하는데 그걸 그냥 준단 말인가?

"마, 마침 남는 게 있던 것뿐이에요."

얼굴을 붉히는 플라워의 모습에 어안이 벙벙하다. 그녀가 내게 호의를 보인 것은 처음이 아니지만, 내가 아무리 눈치가 없어도 지금의 그녀는 그때와 명백히 다른 분위기라는 걸 모를 수가 없었다.

"준비는 끝났나?"

그때 내 앞으로 다가오는 한 명의 여인.

늘씬한 키에 풍성한 흑발을 올려 묶은 그녀는 나로서도 모를 수가 없는 존재다.

"사자여왕. 뵙게 되어 영광입니다."

"나도 영광이야. 34지구에서 탄생한 3번째 초월자를 이렇게 보게 되다니."

씩 웃으며 손을 내미는 소향과 악수한다. 주변을 둘러보니 그 모습을 지켜보는 십수대의 기가스와 수십 명의 사람이 보인다.

뭔가 진행되기 전에, 지금 내 몸 상태부터 정확히 파악

해야 한다.

"크흠."

헛기침한다. 로그인을 감추기 위함이었는데 뜻밖의 일이 일어난다.

후우우웅----!

"으악!"

"바람이--!"

"우아--!"

느닷없이 불어닥치는 돌풍! 나는 당황했지만 일단 원래 하려던 일을 했다.

"로그인."

아르데니아로 들어가며 생각한다.

나는 정신을 차리고 나면 수십 갑자의 내공을 가지게 되리라 생각했지만, 현실은 그렇지 않았다.

그러나 거기에 실망할 수는 없다.

양심이 있다면 그럴 수 없으리라.

[초월 스텟 개방. 생명력]

[대상 : 한재연]

[초월 스텟 개방. 회복력]

[대상 : 한재연]

"와."

절로 신음이 흘러나온다. 상태창을 보니 그럴 수밖에 없었다.

"미쳤다, 진짜."

단순히 900스텟 2개가 생긴 게 아니다.

생명력 : 999(+)

회복력 : 999(+)

"한계 스텟이라니……."

플러스 뒤에 붙어야 할 추가 수치가 나오지 않는 건 아마 물리 세계에 구현할 수 있는 스텟의 한계 때문일 것이다.

내게 생명, 회복에 관한 권능이 없는 이상 그 이상으로 넘어갈 수는 없다는 의미이기도 하다.

'하지만……. 한계 스텟에서 [위]를 논하는 건 지나친 욕심이다.'

쉽게 말해 999스텟의 생명력이라면.

물질계에 그 육신보다 더 튼튼한 게 없다는 이야기다.

물론 차원조차 베는 검강 정도의 공격에는 상처 입겠지만, 생명력이 이 정도쯤 되면 지금까지처럼 숭덩숭덩 잘려 나갈 일은 절대 없다.

심지어 거기에서 회복력 999스텟이라니?

“거의 불사신 아닌가, 이거.”

심지어 나머지 스텟들도 낮은 수준이 아니다. 근력도 600포인트로 오우거보다 강한 수준이고, 체력도, 민첩도 600포인트에 달한다. 이미 신체 능력만으로 엔간한 대형 몬스터를 때려죽일 수 있는 정도였다.

게다가 엄밀히 말해 내 초월 스텟은 3개.

보너스 포인트를 때려 넣은 마나력 역시 여전히 900스텟이다. 단지 전체 공지가 안 떴을 뿐이지.

“언제든 교체 가능한 클래스 보너스는 일종의 버프 취급인가 보네.”

약간의 아쉬움을 뒤로하고.

“자…… 그럼 이제 제일 중요한 걸 확인해야겠다.”

초기화 포션 먹기 전에 마나력을 최대한 활용하기로 한 난 집무실 한가운데 가부좌를 취한 뒤, 진기 호흡을 시작했다. 정신을 집중하고 깊은 호흡을.

후우웅!

“엉?”

실내에서 몰아치는 바람에 놀라 가부좌를 풀었다. 집무실 여기저기 있던 소설책들이 사방에 엉망으로 흩날리고 있다.

“폐하?”

집무실 문이 열리고 놀란 플라워가 안으로 뛰어 들어온다. 나는 손을 내저어 그녀를 안심시켰다.

'그런데 난데없이 웬 바람이?'

그러나 생각해 보니 지구에서도 그랬다.

입을 가릴 겸 했던 헛기침에 느닷없이 돌풍이 일어나지 않았던가?

"바람의 속성력…… 하지만 이게 왜 이런 식으로 발현되지?"

의아해하고 있는 나를 향해 어느 정도 상황을 깨달은 플라워가 고개를 숙였다.

"성취를 경하드리옵니다, 폐하."

"아, 고마워. 그런데 그걸 어떻게……."

의아해하다 멈칫한다. 너무나 바보 같은 질문이라는 걸 깨달았기 때문이다.

'아, 맞아. 월드 메시지가 떴지.'

플라워뿐만 아니라 글자를 읽을 수 있는 대륙 모든 존재가 다 알았을 것이다. 초월 스텟이 정확히 뭔지는 몰라도 엄청난 힘이라는 사실 정도는 짐작할 수 있겠지.

과연 플라워가 고개를 끄덕인다.

"예. 전체 공지를 보았지요. 하지만…… 사실 그게 아니더라도 알았을 겁니다."

"……어떻게?"

내 말에 플라워가 집무실 한쪽에 있는 거울을 가리킨다. 슬쩍 바라보니 거울에 비친 내 모습이 보인다.

"……아니, 이게 뭐야."

키가 커졌다. 원래도 꽤 큰 편이었지만, 지금은 2미터를 넘기는 수준에 이르러 있는 상황.

그러나 내 시선을 잡아끄는 것은 커진 신장 따위가 아니다.

눈이 빛나고 있다.

“여러모로 인간을 초월하신 모습입니다.”

플라워의 말이 너무나 합당해서 반박할 말도 없다.

“아니, 왜…….”

두 눈이 새하얗게 빛나고 눈초리를 따라 빛이 마치 연기처럼 위로 스멀스멀 올라가고 있다. 인간이 아니라 무슨 천상의 존재가 내려온 것 같은 모습.

그리고 그 모습을 자세히 보려고 눈에 힘을 주자.

번쩍! 와장창!

눈동자가 번뜩이고 거울이 박살 난다.

“아니, 아니 이런 미친…… 눈에서 빔이 나가?”

기가 차서 헛웃음만 나오는 상황. 나는 깨져서 바닥에 흩어져 있는 거울 조각과 사방에 흩어져 있는 종이 뭉치를 보다 말했다.

“옥상에서 몸 상태를 확인해야겠어. 미안하지만 사람들 불러서 집무실을 정리해 줘.”

“네, 폐하.”

나는 집무실을 나가 엘리베이터 옆에 있는 계단을 통해 옥상으로 올라갔다.

휘오오…….

칼바람이 불어오는 옥상 한가운데 선다.

아르데니아 사람들은 그 연원도 모른 거대한 H 자 위에서 가부좌를 취하고 앉는다.

'몸 상태부터 확인한다.'

정신을 집중하고 제7감을 깨워 육신을 살핀다. 예전에는 꿈도 못 꿨던 일이지만, 폐급 마나 적성을 극복한 지금은 가능하다.

'역시 생체력을 각성하며 영감이 둔화하였군.'

그러나 둔화돼 봤자 폐급 마나 적성 때와는 비교할 수도 없을 정도로 예민한 감각이었기에 나는 곧 상황을 파악할 수 있었다.

'이게 무슨…… 화점이 육신 그 자체에 깃들었다?'

원래 내면세계에 있어야 할 화점이 안구, 폐, 신경, 혈액, 근육, 간, 피부, 뼈에 깃들었다.

내면세계에 슬쩍 들어가 보니 바둑판에 있던 화점 자리에 커다란 못이 박혀 있다.

당연하지만, 진짜 못이 박힌 게 아니라 화점이 폐쇄된 상황을 상징하는 모습이다.

"아, 잠깐 이렇게 되면…… 화점을 더더욱 뺏기면 안 되겠네."

지금까진 화점을 뺏기면 영적인 타격을 입는 선에서 그쳤지만…….

이제는 거기에 더해 육체적으로도 끔찍한 타격이 들어오고, 그 화점을 되찾지 않는 이상 쉽게 치유되지도 않을 것이다.

최악의 경우 눈알이 터진다거나 피가 다 마른다거나 하는 상황이 오랫동안 유지될 수도 있다는 말이지만……

나는 코웃음 한 번으로 몰려오는 공포를 날렸다.

"원래 안 뺏길 생각이었어."

관조를 멈추고 운기행공을 시작했다.

"후우……."

들이쉬고.

"후우……."

내쉰다.

이 간단한 호흡에 천지간의 기가 요동치는 게 느껴졌다.

문제는 그뿐이 아니라는 점이다.

쿠오오오---!

돌풍이 몰아친다. 거센 바람이 살벌한 괴성을 내지르는 소리에 더욱 정신을 집중해야 했다.

'통제해야 해.'

기침 한 번에 주변에 돌풍이 몰아치고 뭘 자세히 보려면 눈에서 광선이 나가는 꼴불견 행태를 남들에게 보일 수는 없다.

어차피 속성력 자체는 지금까지도 계속 다루던 힘.

나는 속성력을 제어하며 육체 깊은 곳까지 관조하기 시작했다.

화악!

단전 한가운데에서 영겁태양의 존재를 발견한다.

'정확히는 위(僞). 영겁태양이라던가.'

가짜 영겁태양이라는 뜻이다. 아마 진짜 영겁태양을 만들려면 더 많은 공정이나 더 많은 재료가 필요한 물건이겠지.

멀린이 불완전한 물건을 줬다고 불평할 생각은 당연히 없다.

'이걸 먹고도 거의 죽을 뻔했어. 이 자체만으로 정말 말도 안 되는…… 초월적인 수준의 영약이다.'

나는 무한에 가까운 내공을 가지는 대신 초월적인 육신을 손에 넣게 되었다. 이제 와서 하는 짐작이지만…… 아마 내가 예전에 먹었던 생체인자가 영겁태양의 파괴적인 힘에 깨어난 것으로 보인다.

아마 지금 내 몸 상태는 멀린도 예상치 못한 종류의 것이겠지.

'하지만…… 그가 어떤 상황을 상정했든 지금보다 좋지는 않을 거야.'

나는 영겁태양을 살폈다. 내 육신을 변혁시키는 과정에서 영겁태양은 가지고 있던 모든 힘을 소모했다.

영겁태양이 사라졌다는 말이 아니다. 힘을 소모시켰다

한들, 그 그릇 자체는 고스란히 남아 있었기 때문이다.

'엄밀하게 말하면…… 이건 이제 영겁태양도 아니군.'

아득할 정도로 거대하던 내공도, 모든 것을 태워 버릴 듯 뜨겁던 양기(陽氣)도, 적지만 분명히 존재하던 신성도 없다.

이제 이것은 그저 거대한 그릇(大器)일 뿐.

그리고 그 거대한 그릇이…… 내 육신에 생겨난 생체 기관에 안착하여 있다.

"특이하네……."

느낌은 분명 단전이다. 진기를 호흡하면 소주천을 마친 내공이 그 안으로 흘러 들어갔다.

문제는, 이 단전이 물리적으로 실존한다는 것이다.

"이렇게 되면 기존의 심법과는 다른 체계를 만들어야겠네. 단전 유지에 리소스가 전혀 안 들어간다는 뜻이니……."

기, 혹은 마나는 기본적으로 열과 같은 성질을 가지고 있다.

'확산(擴散)한다는 말이지.'

즉, 그것을 활용하기 위해 한 자리에 모으려면 그 성질을 이겨 낼 만한 어떤 힘이 필요하다는 뜻이다.

무공의 경우는 의념(意念)이 그것.

다만, 초월자나 그에 준하는 정신력을 가지지 못한 이상 끊임없이 의념을 발휘해 마나를 통제하는 것은 불가능하다.

'내공심법(內功心法)이 만들어진 이유지.'

그러나 내공심법이라고 아무런 소모 없이 절대적인 이득만 주는 것은 아니다. 축기된 내공을 통제하고 진기를 회전시키는 데 유지비, 그러니까 영적인 리소스가 발생하는 것.

그러나 이렇게 물리적인 단전이 생기면 상황이 달라진다.

실제로 존재하는 생체 기관이 무슨 리소스를 차지하겠는가? 그냥 그 안에 피가 흘러 영양분만 공급하면 끝이다.

물통에 물을 넣으면 그냥 그대로 고여 있듯 단전에 내공을 넣으면 아무런 소모 없이 고여 있다.

즉, 기존의 내공심법을 반 이상 들어내도 아무런 문제가 없다는 뜻이다.

"이건 마치…… 그거 같군."

물리적인 단전에 관한 정보는 어디에서도 들어 본 적이 없다. 이런 게 있기는커녕 이야기조차 없는 것.

그러나…… 이 비슷한 것이라면 알고 있다.

자체적으로 거대한 마나의 저장고이자, 존재 자체로 권능에 가까운 힘을 발휘하는 영능 기관.

"드래곤 하트(Dragon Heart)."

그리고 드래곤 하트와 동등하게 느껴지는 생체 기관을

품고 있는 나는……

"훗."

나직하게 웃으며 운기를 시작한다.

일 주, 이 주, 삼 주.

한 달, 두 달, 세 달…….

나는 플라워가 챙겨다 주는 식사를 해치우는 시간을 제외한 모든 시간을 온전히 명상과 운기에 투자했다.

내 몸의 상태를 완전히 파악하고 몸에 깃든 속성력을 통제한다.

그리고 무엇보다 새로운 생체 기관.

대기(大器)에 익숙해지려 노력했다.

"후우…… 이걸로 10년 내공인가."

지금 내 전력을 생각해 보면 보잘것없는 내공이지만 뭐 주워 먹은 것도 없이 3개월 만에 10년치 내공을 쌓았다는 건 절대 정상이 아니다. 엔간한 신공, 아니 마공이라도 이 정도 효율을 내기는 어려우리라.

"이름은…… 그래. 대기만성(大器晚成)으로 하지."

나는 새로운 심법을 만들었다. 내가 기존에 알고 있던 심법들과 비교할 때 원시적이다 싶을 정도로 단순하고 얄팍하다 할 정도로 적은 볼륨을 가지고 있었지만, 그럼에도 지금의 나에게 가장 맞는 심법이다.

"부족한 볼륨은…… 차차 추가해 나가면 되겠지."

자리에서 일어난다. 하늘을 올려다보니 새카만 하늘에

서 반짝이는 별들이 보인다.

아래를 내려다보니 밤하늘보다도 더 반짝이는 도시가 보인다.

해가 지면 어둠에 잠기던 기존의 도시들과는 전혀 다른, 그냥 현대 지구라고 해도 어색함이 없는 광경.

인간은 적응의 동물이라는 것일까.

예전이었다면 문을 걸어 잠그고 해가 뜨기만을 기다렸을 시간에 밤거리를 오가며 웃고 떠들고 있다.

"좋군."

피식 웃으며 계단을 통해 내려간다. 여러모로 피곤한 만큼 뭐 좀 먹고 한숨 잘 생각.

그러나 그 생각은 집무실 앞 책상에 앉아 있는 플라워의 모습에 사라져 버렸다.

"코오……."

새하얀 피부에 도시적인 외모의 미녀가 펜을 든 자세 그대로 잠들어 있다. 말 그대로 미동조차 없어서 한 폭의 그림을 보는 느낌.

그녀의 양옆에는 온갖 서류가 탑처럼 쌓여 있었는데, 이는 전시 행정 따위가 아니라 그녀가 매일매일 진행하고 있는 업무량이다.

'진귀한 광경이군.'

언제나 나를 케어해 주는 플라워에겐 빈틈이 없다. 뭘 먹을 때 입에 양념 하나 묻는 걸 보기가 힘든데 이렇게나 무방비한 모습이라니.

'역시 일이 너무 많다니까.'

가만히 그녀를 들여다본다. 그녀와 처음 만난 건 그녀의 작은 머리가 내 무릎을 간신히 넘어설 정도로 어릴 무렵이었다.

당시 나는 외과 수술을 할 수 있는 인재를 찾기 위해 귀족들에게 천한 일로 여겨지는 외과 수술을 담당하던 이발사 집단을 찾아다녔는데, 플라워는 그 이발사 집단이 끌고 다니던 노예였다.

"……."

그때를 기억한다. 내 부상을 치료해 주겠다며 독약을 먹이려 들었던 이발사 놈의 머리를 깨 버리고 떠나려 할 때, 내게 무릎 꿇고 수술 방법을 줄줄 늘어놓던 소녀의 모습을.

그 지성, 그 결단력.

지금 생각해 봐도 플라워는 보통 비범한 인간이 아니다. 이 엿 같은 중세랜드가 아니라 지구에서 태어났다면, 영능과 상관없이 대단한 인재가 되었을 것이다.

'그러고 보면…… 꽤 오래 되었군.'

그 작던 소녀는 성숙한 여인으로 자라나는 그 긴 시간 동안 한결같이 내 곁을 지켰다. 만약 그녀가 없었다면 인류제국은 지금보다 훨씬 더 어지러운 상황이었으리라.

"……!"

플라워의 몸이 파르르 떨린다. 어느새 깨어난 그녀는 자신의 볼을 쓰다듬고 있는 나를 바라보고 있었다.

"……."

"……."

가만히 서로를 바라본다. 지금까지 없던 일이다. 워낙 어릴 적부터 그녀를 데리고 다녔기에, 그녀를 여자로 본 적이 없었다.

뚝.

그때 한 방울의 눈물이 책상에 떨어진다. 플라워가 울고 있다.

"아……."

나는 깜짝 놀라 그녀의 볼에서 손을 뗐다.

'아, 제길. 내가 무슨 짓을 한 거지?'

몰려오는 후회에 자책하는 순간.

플라워가 황급히 내 손을 잡는다.

"아뇨! 아뇨! 아니에요!"

평소답지 않게 목소리를 높이는 모습에 나 역시 그녀의 손을 잡았다.

"진정해. 플라워. 내가 미안하다."

"아니에요. 그런 게 아닙니다. 그냥, 그냥 너무 오래 기다려서 그런 것뿐이에요."

"기다리다니, 뭐가?"

당혹스러워하는 나를 향해 플라워가 말했다.

"그런 눈으로 저를 바라봐 주시길…… 아주, 아주 오래 기다렸습니다……."

"……."

우리는 아무 말 없이 가만히 서로를 바라보았다. 잠깐의 침묵.

나는 그녀를 번쩍 안아 들었다.

"꺅!?"

플라워가 그녀답지 않은 귀여운 비명을 질렀다. 우리는 곧 집무실에 들어갔고-

탁.

집무실의 문이 닫혔다.

* * *

체중이 줄었다.

정확히는 17킬로그램 정도. 얼굴 살이 빠지지는 않아 안색이 초췌해졌다거나 하지는 않았지만…… 문제는 [근육]이 빠져나갔다는 점이다.

'허벅지, 그러니까 대퇴사두근. 양쪽하고 광배근에서 골고루 빠져나갔다.'

즉, 큰 근육들 중심으로 빠져나갔다는 말.

당연한 말이지만 이유는 알 수 없다.

"아니…… 뭐지?"

오랜만의 관계에서 기가 빨렸다거나 하는 건 절대 아니다.

그것도 그럴 것이, 능력치 차이만 해도 대체 얼마큼인가?

혹시라도 플라워의 몸이 상할까 봐 금이야 옥이야 조심조심 행했던 잠자리에서 몸이 축난다는 건 있을 수 없는 일.

육체적인 쾌락보다는 정서적인 교감에 더 가까웠고, 그마저도 플라워가 너무 힘들어해서 영웅급 송편과 힐링의 힘까지 빌어야 했다는 걸 생각해 보면 더욱 그러하다.

"아직 이 몸에 대해 잘 모르는 게 있는 건가……."

의아해하면서도 침대에서 일어난다. 이불이 스르륵 내려가자, 혼절해 잠들었던 플라워의 늘씬한 나신이 모습을 드러낸다.

"폐하…… 폐하……."

나를 부르며 끙끙대는 플라워의 손을 잡아 주자 그녀가 힘겹게 눈을 뜬다.

"그래. 나 여기 있다, 플라워."

"……헤헤."

평소의 그녀답지 않게 실없이 웃는다. 그야말로 싱그러운 꽃처럼 활짝 피어나는 미소에 나도 웃었다.

그리고 그렇게 잠시 있었을까? 간신히 잠을 쫓아낸 플라워가 상체를 일으킨다.

"식사하셔야……."

"좀 더 누워 있어. 많이 힘들 텐데."

"그 정도는 아닙니다. 송편까지 먹었는데요…… 그레이트 힐(Great Heal)."

팟!

스스로의 몸에 치유 주문까지 걸더니 기어코 일어나 옷을 챙겨 입는다.

그녀가 입는 옷은 누가 봐도 중세랜드와 어울리지 않는 현대적 디자인의 몸에 착 달라붙는 여성 정장. 원래부터 도시적인 외모의 플라워이기에 마치 화보 모델처럼 잘 어울린다.

'그러고 보니 슬슬 저런 아이템도 풀리는 모양이군. 그래 봤자…… 드랍률이 아주 낮을 텐데.'

그러나 생각해 보면 지금 그녀는 인류제국의 2인자나 다름없는 위치이니 구하려면 못 구할 것도 아니다. 애초에 그녀가 부패하려 들었다면 황금으로 탑을 쌓을 수도 있었겠지.

"저, 저기…… 그만 보시면……."

옷을 입다 말고 얼굴을 붉히는 플라워의 모습에 어깨를 으쓱인다.

"뭘. 어제는 그보다 더 심한 것도 했는데."

"……식사를 준비하겠습니다."

플라워가 새빨개진 얼굴로 후다닥 침실을 벗어난다. 그 와중에 어제 집무실에서 1차전을 하고 침실까지 이동하는 동안 흐트러진 가구와 옷자락들도 후다닥 정리한다.

그리고 잠시 후.

"폐하, 식사를 대령하겠습니다."

"그래."

나는 이내 올라온 시종들이 침실 안 테이블에 늘어놓은 음식을 먹어치우기 시작했다.

체중이 17킬로그램이나 줄어들어서인지 배에 구멍이 뚫린 듯 허기지다.

"특이 사항은?"

"지난 3개월 동안 187개의 길드가 새로이 등록을 마쳤습니다. 전설 등급 몬스터인 스핑크스 무리가 불꽃성에 쳐들어와 17명의 사망자가 있었고……."

나는 1시간 동안 식사를 하며 인류제국에 대한 온갖 보고를 들었다.

보고량이 엄청났음에도 막힘없이 말하는 플라워의 음성이, 그녀가 평소 처리하는 업무를 얼마나 완벽하게 숙지하고 있는지를 알려 준다.

'그나저나…… 1시간 내내 먹어도 체중이 복구가 안 되네.'

체중계에 올라가지 않아도 알 수 있다. 현재 내 체중은 178킬로그램.

본래 190킬로그램이었다는 걸 생각해 보면…… 이제 고작 5킬로그램을 복구했을 뿐이다. 단순 체중이 아니라 근육이 빠진 것이다 보니 복구가 쉽지 않았다.

'뭐, 그래도 허기는 어느 정도 해결되었으니…… 천천히 복구하면 되겠지.'

그렇게 생각하고 있는데 플라워가 보고서 한 장을 내밀었다.

"금화의 가치가 점점 오르고 있습니다."

"금화의 가치가?"

맨날 인플레이션만 일어나서 다시 상점 주인을 소환해야 하나 고민하던 상황이었으니 잘된 일.

그러나 어째서?

"원인은?"

"컬렉션입니다."

아르데니아의 플레이어 중 나만 특별히 시스템의 혜택을 받는 건 아니다.

클래스 카드로 플레이어가 되고 나면 누구나 길드를 만들 수 있고 출석 보상을 받을 수 있다. 캐시숍을 열 수도 있고 몬스터를 잡아 경험치를 얻고 인벤토리도 사용할 수 있다.

단지, 다이아가 없을 뿐.

'그 하나가 너무 큰 게 문제지만.'

어쨌든 다른 플레이어들도 시스템의 혜택을 볼 수 있으니 당연히 컬렉션 등록이 가능하다.

"그렇군…… 플레이어들이 골드를 태우고 있어."

"네. 캐시숍에서 무기 강화 주문서와 방어구 강화 주문서를 사들이는 플레이어들이 점점 많아지고 있지요."

캐시숍이 재화로 다이아만 사용하는 것은 아니라서, 골드로 구매할 수 있는 상품들도 제법 존재한다.

무기 강화 주문서(6,500골드).

방어구 강화 주문서(3,500골드).

하루에 10개씩 판매하는 이 상품은 리벤지 공략에도 '초반에 골드 모자라도 꼬박꼬박 다 사세요!'라고 쓰여 있을 정도로 효율적이다.

그도 그럴 게 뭐만 하려 하면 다이아를 내야 하는 리벤지에서 정말 드물게도 골드로 살 수 있는 물품이기 때문이다.

그리 저렴한 가격은 아니지만, 어차피 자동 사냥 매일 돌리다 보면 수백 수천만씩 쌓이는 게 골드 아니던가?

'하지만 아르데니아에서는 다르지.'

인류제국에서 1골드가 가지는 가치는 한국식으로 치면 대충 100원 정도. 과거 1골드가 대략 1만 원의 가치를 가지고 있다는 걸 생각하면 99%의 폭락이지만…… 사실 이마저도 내가 중앙 거래소의 아이템과 온갖 국가 정책으로 유지시키고 있는 중이다.

NPC들의 소모품 상점도, 스킬 북 상점도 없는 아르데니아에서는 필연적으로 인플레이션이 일어날 수밖에 없기 때문.

다만 골드의 가격을 폭락시키지 않아서 생기는 문제가 있으니, 리벤지의 유저들은 매일 10장씩 무조건 사야 하는 강화 주문서들이 과도하게 비싸진다는 점이다.

1골드가 100원이면 65,000골드의 강화 주문서는 65만 원이 드는 셈이다. 10장을 사면 650만 원.

방어구 강화 주문서도 10장을 사면 350만 원으로 합쳐서 매일 1,000만 원씩 들어가는 셈인데 아무리 플레이어가 골드를 많이 벌어도 어찌 이걸 다 강화 주문서 구매에 쓸 수 있겠나?

때문에 플레이어에게 캐시숍의 강화 주문서는 강화할 때나 한 장씩 사는 물건이었는데…… 플레이어들의 수준이 올라가며 이걸 본격적으로 사들이기 시작했다는 것이다.

리벤지의 캐릭터들처럼 24시간 자동 사냥을 돌릴 수도 없다는 걸 생각해 보면 여러모로 대단한 일이다.

'무과금 컬렉션인가…… 관련 정보를 좀 풀어야겠군.'

리벤지에도 당연히 무과금 유저들이 존재하니 상대적으로 완성하기 쉬운 컬렉션에 대한 공략들이 있다.

플레이어들의 컬렉션 완성은 인플레이션도 억제하고 플레이어들의 평균 수준도 올라가는 길이니 적극적으로 지원해야 함이 당연하다.

"좋은 흐름이니 장려하도록 해. 다만 금화의 가치가 너무 높아지면 안 되니 골드를 좀 풀도록 하지. 멧돼지 뒷다리를 비롯한 일반 등급의 아이템을 개당 10골드에 지속적으로 사들이고……."

대략적으로 방향만 잡아 준다. 인류제국은 거주 구역이 밀집된 데다 국가. 정확히는 황제의 권력이 너무나 강해 부패만 막아도 국가가 제법 잘 굴러간다.

'솔직히 쉽지. 제국을 운영하는 건데 옛날 영지 운영하는 것보다도 쉽다. 인재도 구름처럼 몰려드는 상황이고.'

내가 국정 운영에 대단히 빼어난 실력을 갖춰서는 아니고, 그냥 환경 자체가 좋다.

식량 치트, 주거 치트, 돈 치트, 무력 치트 다 친 다음 국가를 운영하는 셈인데, 이러고도 국가를 제대로 못 굴리는 놈은 머저리 천치이니 나가 죽어야 할 것이다.

"그럼 지시하신 대로 길드 게시판에 공지해 놓겠습니다."

"그래. 늘 말하지만 일 좀 줄이고. 휘하에 행정관 좀 더 뽑아. 만약 어제처럼 조는 모습이 또 보이면 내가 못살게 굴 거야."

"못살게…… 군다고요?"

영문을 모르겠다는 플라워를 보며 답한다.

"침대에서, 사흘 밤낮."

"……!"

화악. 소리가 귀에 들리나 싶을 정도로 플라워의 얼굴이 급격하게 붉어진다.

"며, 명심하겠습니다!"

버럭 소리 지르고 뒤로 물러나려다 멈칫한다. 그리고 내 쪽으로 주춤주춤 다가온다.

"……?"

이 녀석이 뭐 하나 하고 지켜 보자.

쪽!

가볍게 입을 맞추고는 후다닥 도망가 버린다.

"……나 참."

나는 피식 웃은 뒤 계단을 통해 옥상으로 올라왔다. 어느새 계절은 여름, 쏟아지는 햇살을 만끽하며 수많은 사람들이 활기차게 거리를 오가고 있다.

"좋아, 힘을 섬세하게 다루는 것은 3달 동안, 그리고 어제 침대 위에서도 연습했으니……."

그렇다면.

이제는 전력(全力)에 대해서도 실험해 볼 때다.

"카심."

〈포효하는 드레이크 카심(전설)이 소환됩니다!〉

옥상을 박차 뛰어오른 뒤 카심을 타고 10여 킬로미터 정도 비행한다. 그리고 아무것도 없는 평원에 도착한 뒤 소환을 취소했다.

쿵!

땅에 내려선 난 손을 뻗어 바닥을 만져 보았다. 고르고 골라 착지한 만큼 단단한 지반이 만져진다.

이번에는 올려 하늘을, 정확히는 거기에 떠 있는 태양을 본다.

"좋아."

인벤토리를 열어 초기화 포션을 꺼낸다.

[초기화 포션을 섭취했습니다!]

[보너스 포인트 4,400포인트 추가되었습니다!]

이제는 필요성이 크게 줄어든 마나력 대신 근력을 올렸다. 생명력이 999인 상황이니 과도한 근력으로 몸이 상할 걱정도 없다.

[초월 스텟 개방. 근력]

[대상 : 한재연]

월드 메시지를 흘깃 본 후 호흡을 고르며 쪼그려 앉는다.

"셋……."

자세는 낮다. 상체를 극단적으로 내리눌러 턱이 바닥에 닿을 지경.

"둘."

그리고 그 상태에서.

"하나."

그대로.

땅을 박찬다.

---!

내가 딛고 있던 땅에 반경 수백 미터짜리 크레이터가 생기고, 그 크레이터가 생겨나며 발생한 폭음이 내 귀에 와 닿기도 전에 크레이터의 크기가 손톱만큼 작아진다.

온 세상이 멀어진다.

모든 것이 작아져 간다.

어느새 넓은 평원, 기다란 산맥이 멀어지고, 그 모든 것들이 모여 만들어진 거대한 바둑판의 모습이 보인다.

그리고-

쿵.

나는 머리를 찧었다.

세계의 천장에.

"……역시 우주는 없군. 다른 대륙도."

아르데니아는 그렇게 광활한 세상이 아니다. 리벤지는 탐험 게임이 아니라 대규모 전쟁 게임이고, 전쟁이 일어나려면 사람들이 계속 부딪치고 갈등이 일어나야 한다.

결국 존재하는 것은 대륙 하나.

그리고 우주가 없는 세상에서는, 천체(天體)의 모습 역시 뻔하기 마련이다.

고오오…….

"그래. 이런 식인가."

나는 공간을 딛고 서서 대략 수 킬로미터 정도의 거리에서 이글이글 타오르는 불덩이를 보았다.

그것은 태양.

아르데니아의 광원이다.

"엄청나게 넓다고 생각했는데…… 이렇게 보니 작군."

공간을 딛고 하늘에 서서 땅을 내려다보았다. 누가 봐도 인위적인 형상을 가진 바둑판 모양의 대륙.

그렇다.

나는 단 한 번의 발 구름으로 100킬로미터도 넘게 뛰어…… 세상의 천장에 도달한 것이다.

"……."

고개를 돌려 태양을 본다.

쿵.

허공을 박차 접근하자 태양으로부터 엄청난 열기가 전해진다.

화악!

내가 입고 있던 잠옷이 단숨에 타 버려 삽시간에 나체가 되었지만 그뿐. 몸에는 아무런 부담이 없다.

인벤토리에서 뼈 장검을 꺼낸 후 더 접근해 본다.

화악!

뼈 장검에 불이 붙더니 이내 검게 부스러져 버린다. 이번에는 강철제 검을 꺼내 보았다. 과연 금속 검은 좀 더

버텼지만 내가 태양에 더 접근하자 상황이 달라진다.

치이익--!

태양의 열기를 이겨 내지 못한 검이 새빨갛게 달아오르더니 결국 녹아 흘러내리고 말았다. 아르데니아를 밝히고 있는 태양의 열기를 알 만한 광경이었다.

"이렇게나 뜨거운데 말이지."

그러나 공간을 딛고 있는 난 조금의 후덥지근함을 느낄 뿐 아무런 타격이 없었다. 아예 더 접근해 태양에 바짝 붙어도 상황은 마찬가지.

강철 장비조차 쇳물로 녹아 버릴 고열 속에서 몸이 불타지 않는 정도를 넘어 머리카락 한 올 그을리지 않는다. 아르데니아의 태양은 내 피부에 난 솜털조차도 어쩌질 못했다.

이건 물론 내 몸이 튼튼해서이기도 하지만…… 내 육신 자체가 열기에 [저항]하고 있기에 가능한 일이다.

"……."

무인이 절대 고수의 경지에 이르러 강기을 다루고, 마법사가 대마법사의 경지에 이르러 궁극마법에 손을 댈 수 있듯 생체력 수련자들 또한 추구하는 지향점이 당연히 존재한다.

생체력 특유의 만물저항이 극에 도달해 세상 모든 힘을 찢고 부술 수 있는 육신.

극한의 의지로 인간을, 아니 생명체를 초월해 만들어지

는 궁극의 몸.

극의지체(極意肢體).

"짐작하긴 했지."

그래, 사실은 알고 있었다.

어떤 식(式)을 발휘한 것도 아니고 그저 손을 뻗는 것만으로 차원을 어떤 물건처럼 만질 수 있다는 사실은, 내 육신이 그 자체로 신비의 영역에 들어섰다는 뜻이기 때문이다.

마치 드래곤이 나이를 먹어 초월의 경지에 이르듯.

드높은 깨달음이나 세계에 대한 궁구 없이 나는 도달해 있었다.

절대의 경지.

초월지경에.

"그렇다면 더 시간 끌 필요도 없겠군. 로그아웃."

지구로 돌아온다. 문득 사자여왕 소향이 나를 돌아보았다.

"기운이……. 안정되었군?"

눈을 가늘게 뜨는 그녀의 모습에 어깨를 으쓱이며 웃는다.

"언제까지 질질 흘리며 다닐 수는 없지요."

그렇게 말하고 주변을 살핀다. 항상 필요한 과정이다. 이들에게는 불과 1초도 지나지 않은 시간이지만, 내게는 3개월도 넘는 시간이 지났기 때문이다.

'아, 그래. 내가 기침으로 바람을 뿜었지.'

그리고 눈에서 빛도 새어 나오고 있었을 것이다. 즉, 남들이 보기에 내가 찰나 만에 그걸 통제하는 모습으로 보인다는 말이지만……. 어차피 외부에서의 시각은 깨달음을 수습한 정도로 보일 테니 뭔가 비정상이라고 인식하기는 어렵겠지.

우웅!

그때 하늘에서 흑색 장갑의 버스가 땅에 내려선다.

"오, 말로만 듣던 장갑 수송차로군요."

"그 드물다는 초월자. 그것도 25살의 나이인데 이 정도는 되어야지."

"아까도 하신 말씀이지만…… 이미 확정인가요?"

나는 내 경지를 드러내 밝힌 적이 없다. 제대로 힘을 발휘해 본 적이 없음은 물론이다.

문제는 내가 초월지경에 이르는 과정.

나는 아르데니아가 아닌 지구에서 초월지경에 올랐으며, 꽤 긴 시간 동안 그 상태를 무방비로 노출했다.

'진짜 34지구였으니 다행이지.'

만일 다른 문명에서 같은 상황에 부닥쳤다면 초월지경은커녕 목숨을 부지하기 힘들었을 것이다.

새로운 강자의 등장을 두려워 한 기득권이 반드시 죽이거나 목줄을 채웠을 테니까.

"그래. 확정이야. 이미 알음알음 퍼지고 있지."

"정보 보호를 해 준다고 들었는데……."

현재 34지구에 적을 두고 있는 초월자의 수는 마흔두 명이다.

'그야말로 미친 수준이지.'

사실 대우주에 초월자가 이렇게 많이 모여 있는 경우는 극히 드물다. 대우주 최고 학술 기관인 우로보로스나 용들의 고향. 드래고니안에서나 가능한 일.

그러나 이 마흔두 명의 초월자 중 이름과 정체를 드러내고 있는 존재는 10명 남짓에 불과하다. 34지구의 개인 정보 보호는 아주 강력한 편이니 스스로 정체를 드러내지 않는 이상 알려지지 않는 것이다.

"넌 예외야."

"아니, 왜요?"

억울해하는 나를 보며 소향이 웃는다.

"왜긴 왜야. 사고를 쳤잖아? 피해자들이 자신과 관련된 사건을 묻는데 아무리 개인 정보라고 해도 그걸 어떻게 숨겨?"

"사고…… 아니 잠깐."

나는 그제야 온 세상이 회색이라는 걸 깨달았다.

'아, 이런. 이걸 왜 이제야 알았지?'

이곳은 현실이 아니다. 무슨 가상 세계라는 게 아니라 표면 세계의 이면에 존재하는 일종의 이차원, 이면세계(異面世界)인 것이다.

당연한 말이지만 무려 차원을 넘어야 도달하는 이곳에 내가 우연히 왔을 리는 없다.

"이제야 눈치챘냐? 아니 돈도 많이 벌었다면서 단독 주택도 아니고 룸 타워에서 살다니…… 운 좋게 네 이웃에 전투 경찰이 없었으면 룸 타워가 통째로 붕괴했을 거다. 거기에 몇 명이 사는지 알기나 해?"

"……."

그야말로 대참사가 날 수도 있었다는 뜻.

그리고 늘 하는 말이지만.

34지구는 초월자도 범죄를 저지르면 경찰이 와서 잡아가는 마경이다.

'초월지경이 되자마자 감옥에 갇혔을지도 모르겠군.'

내심 식은땀을 흘리고 있는 나를 바라보던 소향이 장갑 수송차에 탑승했다. 그 뒤를 나와 플라워가 따로 탄다.

"플라워 님도 같이 가시는 겁니까?"

내 말에 플라워가 부드럽게 웃는다.

"네, 재연 씨. 지금은…… 제가 재연 씨의 보호자이기도 하거든요."

플라워의 말에 소향이 부연 설명을 붙인다.

"플라워 님이 아니었다면 아무리 인명 피해가 없어도 재연 씨를 격리 구역에 옮겨 놓았을 거다."

"아니, 아. 음. 감사합니다."

꾸벅 인사를 했지만 상황이 이해가 안 간다.

'아니 왜 그렇게까지?'

물론 나와 플라워 사이에는 여러 가지 이해관계가 얽혀 있다. 그녀는 오룡넷의 운영자이고 나는 오룡넷에 100종이 넘는 작품을 연재하는 인기 작가이기 때문이다.

나 한 명 때문에 버는 돈이 백억 단위니 어느 정도의 케어는 당연하지만…… 아무리 그래도 초월자로서의 권위까지 활용해 주다니?

"후훗."

황당해 돌아보았지만 보이는 건 수줍은 미소뿐.

'뭐야? 뭘 뜻하는 표정이지?'

혼란스러운 와중에도 장갑 수송차가 날아오른다. 소향은 그 안에서 초월지경에 올라 진행해야 할 과정과 받을 수 있게 된 혜택. 그리고 반드시 해야 하는 의무를 설명했다.

그게 싫으면 34지구를 떠나야 하지만.

'당연히 안 떠나지.'

34지구에 거주하는 초월자 중 34지구에서 탄생한 이는 단둘뿐이다.

천살검귀(天殺劍鬼).

히든 엔젤(Hidden angel).

'사실 고대의 초월자들이 더 있기는 하지. 이름 자체가 대명사인 [대마법사]라던가.'

그러나 34지구의 초월자로 인정하는 건 저 둘뿐으로

지금 34지구에 있는 대부분의 초월자는 다른 문명에서 이주해 오거나 혹은 잠시 머물러 있는 이들이다.

10명 정도는 어르신들께 [포로]로 잡혀 온 이들이지만 어쨌든.

지구 출신도 아닌 초월자들도 굳이 찾아오는 34지구를 내 발로 나갈 이유가 없다.

"아, 그리고 여기 룸 타워 수리비."

그렇게 말하며 소향이 한 장의 청구서를 넘겨준다.

나는 그것을 받아 읽었다. 다른 무엇보다 중요한 것은 바로 맨 아래 있는 글자다.

합계 : 8억 7,211만 원을 귀하께 청구합니다.

[서울시청.]

심장에 칼이 박힌 듯 아프다.

주먹으로 명치를 맞은 듯 숨이 막혔다.

'8억…… 아니 사실상 9억이다.'

클래스 카드 9만 장을 살 수 있는 돈이다. 영웅 카드만 해도 90장이 나오고, 죄다 합성을 돌리면 운이 아무리 나빠도 전설 클래스 10개 이상은 뽑을 수 있는 돈.

전설 펫 하나로 제국 전체가 들썩이는 공모전을 열었는데 그 10배나 되는 돈이 허무하게 날아가다니!

"어, 저기 재연 씨? 제가 내 드릴까요?"

플라워의 말에 순간 혹하고 말았다. 너무나 달콤한 말.

그러나 고개를 흔들었다.

"아뇨…… 제가 내야지요."

그녀에게 받은 양복이야 백 번 양보해서 선물의 영역에 들어갈 수 있지만, 아무리 그래도 이걸 대신 내달라고 할 수는 없다.

나도 이제 명색이 초월자인데 그리 궁한 짓을 할 수는 없다.

"건물 무너졌으면 9억이 아니라 900억으로도 해결 안 됐을 거다. 치료비에 고소·고발에…… 차라리 능력이 없으면 배라도 째지 초월자는 몸으로 갚아도 다 갚을 수 있어서 무조건 다 배상해야 해."

34지구는 오는 초월자 안 막고 가는 초월자도 안 막는 곳이지만 아무리 그래도 범죄를 저지르거나 책임을 회피하고 도망갈 수 있는 곳은 아니다.

만약 그런 게 가능했으면 대마법사 럭키 스트라이크가 그냥 34지구를 뜨고 말지 300조를 열심히 일해서 갚고 있을 리가 있겠는가?

결국, 나는 청구서를 받아서 주머니에 처박아 둔 후 물었다.

"그보다 제 스마트 펫은 어떻게 되었습니까?"

"……그걸 먼저 찾는 거냐?"

어이없다는 표정.

“다른 게 있습니까?”

의문을 표하자 그녀가 손짓한다.

군인 하나가 기다란 박스 하나를 들고 온다. 박스 주위로 살벌한 어둠이 휘몰아치고 있다.

고오오오---!

“아, 이걸 깜빡했네.”

그것은 히페리온이다.

“마검인 것 같은데 괜찮은가?”

“물론이죠.”

피식 웃으며 박스에 봉인된 히페리온을 뽑아 인벤토리로 던져 넣었다가, 녀석이 인벤토리가 드륵드륵 울릴 정도로 시끄럽게 군다는 걸 깨닫고 내면세계를 열어 히페리온의 정신체를 흡수시켜 버렸다.

뭔가 불만이 많아 보이지만 당장 중요한 게 아니다.

“스마트 펫은요?”

“아니, 마검이…… 뭐 됐다.”

헛웃음 지으며 손짓하자 한쪽의 문이 열리고 체다가 모습을 드러낸다.

“체다!”

“야옹!”

“체다!”

“……아니 뭐 하는 거야. 진짜 고양이도 아니고 스마트 펫을…….”

그녀가 뭐라고 하거나 말거나 황급히 체다를 안아 들어 화면을 켠다.

그리고 리벤지를 켰다.

"아! 역시 죽었네."

하기야 당연한 일이다. 자동 사냥을 돌리다가 그냥 그대로 몇 달을 방치했는데 어찌 캐릭이 살아 있겠는가?

나는 인벤토리를 정리하며 한탄했다.

"아이고, 손해가 막심하네……."

출석만 해도 가슴이 시리다. 유료 출석부를 4개나 연 상태였던 데다가 배틀 패스까지 신청했었는데 그게 다 무용지물이 된 것!

어디 그뿐인가?

날아가 버린 추석, 빼빼로 데이, 크리스마스, 신년 이벤트.

가슴이 미어지는 듯하다.

"아니 여기에서 게임을 켠다고? 이 중요한 순간에? 초월지경에 이르렀는데!?"

"이쯤 되어야 게임 신의 사도를 할 수 있는 게 아닐까요?"

"아, 아니 플라워 님. 아무리 그래도 이건 좀, 좀…… 게임 중독 같지 않나요? 게임을 비하하는 건 절대 아니다만! 하물며 실력 갓겜 블앤매도 아니고 리벤지를……."

그녀들이 떠들거나 말거나 다시 자동 사냥을 돌린다.

킬리언스를 향해 채팅이 쏟아진다.

우주최강미남(귓속말) : 재연아!? 너 괜찮은 거야? 뭔 폭주 비슷한 거 한 모양이던데!

지존법사(귓속말) : 킬리 접속했네? 너 대체 무슨 일이냐?

아레스(길드 마스터)(귓속말) : 재연 씨. 제가 받은 정보가 맞는지 모르겠는데…… 무슨 초월지경에 도달했다는 소리가……

사과냥이폰(귓속말) : 킬리언스 형님 뉴스에 나오는 말 진짜예요!?

쏟아지는 귓말에 일일이 답해 줄 수가 없어서 길드 채팅으로 한 줄만 친다.

킬리언스 : 죄송합니다. 형님들. 제가 바빠서 자사만 돌려 둘게요.

체다의 화면을 끈다.

그즈음 장갑 수송차가 정지한다.

"도착했습니다."

"역시 여기군요."

장갑 수송차는 차원을 넘고 넘어 강철계에 도달했다.

강철계(鋼鐵界).

게임 마스터 관대하가 소유하고 있는 중형 차원의 이름이다. 마치 정령신이 정령계를 가지고 있듯 관대하가 가지고 있는 강철계는 34지구의 성지 그 이상의 의미를 가진 장소이다.

'초월자에 관련된 일이라면 당연히 여기에서 진행되겠지.'

우웅!

거대한 철벽이 환상처럼 사라지고 강철로 만들어진 빌딩이 모습을 드러낸다.

"우리는 여기까지."

"기다리고 있을게요."

빌딩 입구에 소향과 플라워를 남겨 두고 강철로 만들어진 복도를 따라 걷는다.

대략 10분 정도 들어가자 그 너머에 서 있는 여인의 모습이 보인다.

[어서 오십시오. 한재연님. 게임 마스터님을 모시고 있는 지니라고 합니다.]

사막의 무희(舞姬)처럼 노출이 심한 복장이다. 지구가 아니라 아르데니아에서나 볼 법한, 그러나 누구도 부정할 수 없는 아름다운 모습.

"물론 알고 있습니다. 지니."

게임 마스터 관대하의 부관인 그녀는 인간이 아니다. 초월전함(超越戰艦). 알바트로스의 관제인격으로, 리전조차 간섭할 수 없는 가장 궁극의 AI다.

[후후. 한재연 님에 대한 말씀은 들었지만 설마 초월지경에 오르실 줄이야. 경지 수습에 관한 문제도 있고 정신없으실 테니 빨리 끝내고 보내 드리겠습니다.]

우웅-!

나직한 울림과 함께 커다란 철판 하나가 내 앞으로 다가온다.

"이건……?"

[명판입니다. 여기에 재연 님의 이름을 쓰시면 됩니다.]

"쓰면 무슨 일이 벌어지는 겁니까?"

[초월자만 들어갈 수 있는 게임마스터님의 인프라에 속하시게 되고…… 34지구는 물론이고 그 외부에서 가해지는 모든 간섭에 저항할 힘을 가지게 됩니다.]

나는 명판을 살펴보았다.

정확히 61개의 이름이 쓰여 있었는데, 그 대부분이 노이즈가 낀 것처럼 읽을 수가 없었다.

읽을 수 있는 건 열 개 정도였는데, 개중 몇 개는 내게도 익숙한 이름이었다.

[궁극의 추종자 샤이닝]

[천살의 극복자 관영민]

[종말의 도망자 하인델]

그것은 초월자들의 이름.

'어쩌면 초월자가 61명 있다는 이야기일지도 모르겠군. 아니면 머물렀다 떠난 초월자들 것도 남아 있다던가.'

그렇게 생각하며 입을 연다.

"공개한 사람들만 보이는 모양이네요."

[네. 더불어 자격의 증명이기도 합니다. 초월지경에 이르지 않으면 여기에 이름을 적을 수 없으니까요.]

그녀의 말에 나는 손을 뻗었다. 별로 시간 끌 일도 아니다.

[한재연]

그렇게 이름을 적었다. 그리고 그러자.

[황제 한재연]

이름 앞에 알아서 글자가 붙는다.

[오, 황제라니 이건……]

왜인지 놀라워하는 지니를 향해 묻는다.

"뭡니까, 이건."

[칭호입니다. 당신을 증명하는 단어라고 할 수 있지요. 어쨌든 수고하셨습니다. 이제 돌아가셔도 좋습니다.]

그녀가 그렇게 말했을 때.

눈앞으로 메시지가 떠오른다.

[명예신이 당신을 봅니다.]

* * *

[황제라……]

지니는 멀어지는 재연의 모습을 보며 그의 [칭호]에 대해 생각했다.

최상급 신, 게임 마스터 관대하의 힘이 깃든 스틸 템플(Steel temple)은 그 자체적인 기능 외에도 거기에 이름을 쓰는 자의 정체(正體)와 악의(惡意)를 칭호로 드러내는 힘을 가지고 있다.

[악의가 없는 건 당연하지만, 아무리 그래도 이상하긴 하네.]

스틸 템플은 최상급 신조차 속일 수 없는 가장 궁극적인 정보계 권능 중 하나이지만, 그럼에도 단점이 있으니 거기에 새겨지는 [칭호]가 상대방의 세계관으로 인해 정해진다는 것이다.

[황제라니…… 아니 목표도 아니고 지금 당장 황제? 3문명의 시민이 어떻게 이런 칭호를 가질 수가 있지?]

황제라는 단어의 의미는 세계관에 따라 크게 달라진다.

일반적으로 황제는 제국을 다스리는 군주의 칭호이니 한 행성에 몇 명, 심한 경우 10명도 넘게 존재할 수 있다. 막말로 아무나 스스로를 황제로 참칭 가능한 게 바로 하위 문명의 현실 아니던가?

그러나 3문명에 도달해 대우주 시대에 도달하게 되면 상황이 달라진다.

거대 전함과 우주 괴물이 돌아다니는 대우주에서, 스스로를 황제로 지칭하려면 신적인 힘이나 그 신적인 존재를 이겨 낼 수 있을 정도의 세력이 필요하다.

즉, 중급 신.

일반적으로 [황제]라고 인정받는 이들의 수준이 바로 그 정도인데 이제 막 초월자에 오른 25살의 청년이 그 칭호를 단 것이다.

[그것도 무슨 황제 이런 꾸밈말도 없이 그냥 황제라니…… 과연 주인님의 사도라는 걸까. 정상이 아니네.]

절레절레 고개를 흔드는 지니의 시야에 저 멀리 재연을 맞이하는 녹발의 여인이 보인다.

환하게 웃는 그녀의 눈에는 관제 인격인 지니조차 모를 수가 없을 정도로 선명한 감정이 담겨 있다.

[아니, 사실 진짜 정상이 아닌 건 저쪽이지…….]

그녀는 시선을 돌려 스틸 템플에 적혀 있는 그녀의 이름을 찾아냈다. 그녀는 그 이름을 비공개로 했지만 게임 마스터의 권능을 일부 공유하고 있는 지니는 그것을 읽을 수 있었다.

[색채룡의 세 번째 머리 플라워]

[아무리 봐도 진심으로 보이는데…… 크로매틱 저 양반 머리가 쪼개지더니 치매가 온 건 아니겠지?]

약 450년 전.

용족은 수백 수천의 용을 동원해 그들의 대적(大敵)과 싸웠다.

삼족오(三足烏), 흑번(黑幡).

태초부터 존재했다고 알려진 이 우주적 괴물은 양 날개를 펼치면 30킬로미터에 가까운 무지막지한 덩치를 가지고 있었으며, 그 덩치가 오히려 초라해 보일 정도의 신성(神性)과 권능(權能)을 가진 짐승신이었다.

용을 주식(主食)으로 삼는 괴물 중의 괴물!

그 시절 크로매틱 드래곤은 온 우주의 용들을 이끌고 흑번을 공격했다. 끔찍할 피해를 입을 게 분명하다는 사실을 알고 있었지만…… 배고플 때마다 용을 잡아먹는 삼족오를 놔둔다면 용족의 미래가 암울하다는 인식을 용족 전체가 공유하고 있었기에 가능한 일이었다.

결과는 성공.

그들은 끝내 흑번을 해치우는 데 성공했지만, 그럼에도 불구하고 피해는 막심했다. 전투에 참여한 태반의 용들이 죽었기 때문이다.

그리고 그들을 이끌던 크로매틱 드래곤은.

몸이 다섯 갈래로 찢겼다.

당연히 죽어야 할 부상이었다. 상급 직전의 초월자이자 특별한 태생을 가지고 있는 크로매틱 드래곤은 불사의 권능을 가지고 있었지만, 부상을 입힌 상대는 그 이상의 권능을 가진 괴물이 아니던가?

다른 용족들의 도움으로 죽음만은 면했지만…… 그 이후 그는 대외적인 활동을 완전히 멈추게 되었다. 간혹 방송이나 성명문으로 존재감을 드러내는 게 전부였던 것.

[그런데 이렇게 젊은 용으로 변신해 아이돌 활동을 하고 있단 말이지…… 심지어 인간한테 홀렸다…….]

그야말로 대우주적인 스캔들이었지만 당연히 지니는 누군가에게 그 비밀을 말할 생각이 없었다. 비밀을 엄수한다는 게 스틸 템플의 기본 조건이기도 했고, 노블레스 최고 원로인 크로매틱 드래곤에게 적의를 사는 건 아무리 34지구가 강력한 전력을 가지고 있다 해도 좋은 일이 아니었기 때문이다.

[아, 나는 모르겠다. 뭐 알아서 잘하겠지.]

한숨 쉬며.

그대로 그녀가 모습을 감췄다.

chapter3.
황제는 우주 용병

chapter3.
황제는 우주 용병

하급 초월자는 한 행성에 한 명 있으면 다행일 정도로 드문 존재지만 대우주 전체로 시야를 넓히면 생각보다 흔하다.

무엇보다 하급 초월자의 한계는 분명하다.

신적인 존재라곤 하지만 충분히 발달된 과학은 얼마든지 초월자를 상대할 수 있다. 다수의 우주전함으로 이루어진 함대를 끌고 가 궤도 폭격을 쏟아내면 초월자가 아무리 강해도 결국에는 죽을 수밖에 없기 때문이다.

물론 재수 없이 함선 내부로 침입을 허용하면 전함 하나가 아작 나겠지만 초월자를 상대하기로 작정한 상황이라면 오히려 자폭 버튼을 눌러 해결할 수 있겠지.

반면 중급 초월자는 다르다.

흔히 말하는 [황제] 클래스의 강자들은 과학 기술로도 대항이 거의 불가능하다. 우주에 진출할 정도의 문명을 가지고 제국을 만드는 행위가 아무에게나 가능할 리가 없는 것!

'즉, 중급 초월자에 도달하면 대우주에서도 최정상에 해당하는 강자라고 할 수 있지.'

그 숫자가 극히 적다는 건 두말하면 입 아픈 이야기다. 사람들에게 알려진 황제급 강자는 10명이 채 안 될 정도니까.

'무황. 검황. 도황. 마도황녀. 올 마스터. 크로매틱 드래곤. 검선…… 아, 색황도 있지.'

어쨌든 중요한 건.

그 귀하다는 중급 신이 34지구에 셋이나 존재한다는 것이다.

정의신.

진실신.

명예신.

34지구의 특별함은 게임 마스터의 존재 때문이기도 하지만 동시에 이 삼신(三神) 때문이기도 하다.

정의로워야 하고, 진실해야 하는 34지구의 인류.

다른 문명의 사람들은 어떻게 그런 억압(抑壓) 속에서

살 수 있냐고, 당장 자유를 찾아 떨쳐 일어나야 하지 않냐고 말하지만 그 말을 듣는 34지구의 사람들은 비웃을 뿐이다.

[악(惡)이 일상이고 막지도 못하니 마침내 그걸 자유라고 포장하는구나?]

그래, 그게 34지구의 인식이다. 마치 근대의 총기 사용 논쟁과 같다.

[국가가 뭔데 총기 사용을 막나!]
[내가 총기를 가질 자유를 억압하지 마라!]
[국가가 나 스스로를 지킬 힘을 빼앗아 가려 한다!]

그래, 그렇게 주장할 수 있다. 원론적으로 이야기하자면 그건 사실이기도 하겠지.

하지만 총기 사용이 금지인 나라에서 살던 이가 다른 나라에 여행가 길가에서 총이 발사되고, 심지어 그걸 누가 맞는 모습까지 보게 된다면.

그는 자연히 느끼게 될 것이다.

그딴 자유는 그냥 없는 게 낫다는 것을.

삼신은 틀림없이 34지구의 인간들을 강하게 억압하고 있지만…… 사람들은 그 억압에 오히려 편안히 적응해

살고 있다.

"무슨 생각을 그렇게 길게 하시나요?"

그때 플라워가 말을 건다. 마침내 초월자로서 해결해야 할 모든 서류 작업을 마치고 돌아가던 난 그 모든 과정을 옆에서 도와준 플라워를 바라보았다.

"자꾸 절 보는 분이 있어서요."

"앗! 그, 그 정도는 아니에요……!"

"……?"

영문 모를 소리에 고개를 까닥이자 플라워의 얼굴이 붉어진다.

"아, 아뇨 별 이야기는…… 그럼 누가 본다는 건가요?"

[명예신이 당신을 봅니다.]

마침 다시 텍스트가 떠오른다. 나는 말했다.

"명예신이요."

"아! 그러고 보니 그렇겠네요. 저도 지구에 오자마자 그렇게 보시더라고요!"

목소리를 높이는 그녀의 모습에 슬쩍 웃으며 물었다.

"혹시 명예신의 사제도 하시나요?"

"아, 네! 궁금해서 받아들였어요. 알아보니 정의신이나 진실신과는 좀 다른 결이기도 했고요."

맞는 말이다. 정의신이나 진실신은 일단 사제가 되면

그만두기가 몹시 어려운 데 반해 명예신의 사제는 언제든 그만둘 수 있을 정도로 느슨한 구속력을 가지고 있으니까.

"능력은 쓸 만한가요?"

"사기적인 능력이긴 해요. 제가 대마법사인 데다 돈이 많아서 별 의미가 없긴 한데……."

정의신의 사제가 되면 정의의 무기, 저스티스 웨폰을 얻게 된다. 사용처에 따라 특급 마법기 이상의 위력을 발휘하는 사기 무기.

진실신의 사제가 되면 정언력을 다루게 된다. 말을 하면 이루어지거나, 이뤄질 확률이 높아지는, 거의 용언(龍言)에 버금가는 강력한 언령.

그리고 명예신의 사제가 얻는 능력은.

'자체 회복과 물질 창조.'

이중 회복 능력은 이미 불사신이나 다름없는 내게 별 쓸모가 없는 능력이지만…… 물질 창조는 다르다.

어쩌면 현대의 기술을 아르데니아에 넘길 수 있을지도 모르기 때문이다.

[명예신이 당신을 봅니다.]

"아니…… 왜 이렇게 재촉하는 거 같지?"

"후후. 당장 결정하실 생각이 없으면 명예를 원할 때

말한다고 양해를 구하면 돼요.”

“아, 그래요?”

과하게 친절한 신이다.

“명예를 원할 때 청하겠습니다.”

[명예신의 시선이 거두어집니다.]

“정말 간 건지 안 간 건지…….”

폐급 마나 적성을 지우고 마나 감지 능력을 얻었지만 아무리 그래도 중급 신의 시선을 파악 할 수는 없다. 그들이 보내는 텍스트가 거짓이 아니길 바랄 뿐이다.

“그나저나 재연 씨. 공모전 인세 나오는 대로 저녁 사신다더니 왜 한 번도 연락 안 했어요? 인세 나왔는데!”

“아, 저녁…….”

그러고 보니 그녀가 그런 말을 한 적이 있긴 하다.

‘아니 그냥 인사말 같은 거 아닌가?’

그러나 눈앞에서 그런 말을 할 정도로 난 바보가 아니다.

“하하! 여러모로 바빠서…… 마침 배도 고프고 하니 같이 저녁이나 드시겠어요?”

마침 시간도 저녁, 정확히는 밤이다. 그녀와 저녁을 먹고 원룸에 돌아가면 딱일 것이다.

물론 문제가 없는 건 아니다.

'비싼 집에 가야겠지? 초월자니까…….'

당연한 말이지만 그런 집을 내가 알고 있을 리는 없다. 지구에서는 편의점 도시락조차 안 먹게 된지 오래다.

돈이 아까우니까.

"혹시 생각한 집이 있나요?"

나는 정확하게 그 점을 찔러 들어오는 플라워의 물음에 멈칫했다.

결국 시인할 수밖에 없다.

"없어요. 매일 집에만 있다 보니……. 죄송합니다."

너무 궁한 모습이지만 그렇다고 아무 식당이나 입에 담아 볼 수도 없는 일 아닌가? 그런데 어쩐 일인지 플라워는 별로 기분이 상한 표정이 아니었다.

오히려 조마조마한 얼굴로, 그녀가 말했다.

"저기, 그럼…… 저희 집에서 드실래요?"

"……네?"

"마, 마침 바로 이 근처거든요! 진짜 가까워서!"

"……."

잠시 입을 벌리고 있었다. 그리고 생각한다.

지금까지 그녀가 내게 보인 태도. 도움. 선물. 그리고 내게 보인 표정과 스킨십.

사실 징조는 너무나 분명했다. 아무리 둔해 터져도 이걸 눈치채지 못한다는 건 있을 수 없는 일.

그러나 그럼에도 지금까지 그런 생각을 하지 못했다.

당연한 일이다.

'아니, 아무리 그래도…… 말이 안 되는데?'

물론 역사적으로 그런 사례가 꽤 있었고 이 순간에도 대우주 어디에선가 벌어지고 있는 일이겠지만……. 그건 인간 사이에서 수백 수천 년 살아가는 하위 문명의 용들에게서나 벌어지는 일.

대우주 시대가 열리고 드래고니안이라는 행성에 용들이 모여 살기 시작한 이후 인간과 용이 맺어지는 경우는 극히 드물다.

막말로 그들이 인간을 보는 시선이 인간이 귀여운 개나 고양이를 보는 것과 다를 게 없는데 어떻게 맺어질 수가 있단 말인가?

"저기, 싫으신가요?"

플라워의 녹색의 큰 눈이 불안으로 떨린다. 나는 혼란스러운 와중에도 차분하게 답했다.

"아뇨. 그럴 리가요."

생각을 정리한다.

'나쁠 것 없는 일이다.'

그래, 정말 나쁠 것 없는 일이었다. 그녀가 내 재산을 노리겠는가 명성을 노리겠는가? 내가 아무리 초월자라고 해도…… 그녀는 드래곤.

심지어 그냥 드래곤조차 아니다.

"그럼, 가요."

“아, 네…….”

차분히 그녀와 함께 걷는다. 어느새 그녀가 손을 뻗어 내 손을 깍지 낀다.

‘하지만…… 정말인가?’

호화로운 빌딩에 도착한다. 혹시나 다른 F·D멤버가 있지 않을까 했지만 아무래도 단독 숙소인 모양이다.

‘이게 진짜라고……?’

딸깍.

문이 닫힌다.

“…….”

“…….”

우리는 가만히 서로를 바라보았다. 얼마 전 그녀와 똑같은 이름의 다른 여인이 나를 바라보던 바로 그 표정.

식사는 차릴 생각도 하지 않는 분위기였다.

‘아.’

그리고 그 분위기에서.

‘나도 모르겠다.’

그녀를 잡아당긴다. 입을 맞추고, 이어서 옷들이 바닥에 떨어진다. 훤칠한 키에 크게 굴곡진 몸이, 녹색의 체모가 눈에 들어온다.

내가 봐 왔던 그 어떤 여인보다도 아름다운 외모.

그리고 그대로---.

띵동!

현관에서 초인종이 울렸다.

"신경 쓰지 말아요."

단호한 플라워의 말.

그러나.

띵동! 띵동! 띵동! 띵동! 띵동! 띵동! 띵동!

초인종이 미친 듯이 울린다. 플라워가 손짓한다.

팟!

공간이 격리되는 것이 느껴진다. 어이없게도 이 순간 플라워가 궁극 마법을 사용한 것!

"어서……!"

다급한 목소리. 그리고 그 순간.

쿵!

"……."

격리된 공간이 진동한다. 플라워가 궁극 마법을 사용했음에도 이 정도라는 건, 결계 외부의 존재 역시 궁극 마법 이상의 힘을 발휘했다는 뜻이다.

"플라워? 이게 무."

콰쾅!

결계가 부서지고 문이 박살 난다!

"플라워! 멈춰!"

부서진 현관문 너머에서 흑발의 사내가 모습을 드러낸다.

아니 이걸 흑발이라고 할 수 있을까?

"당신은……?"

그는 훤칠한 키에 검은 장발을 허리까지 늘어뜨린 미남자였다. 매우 진중하고 무거운 분위기의 그의 흑발은 마치 흐릿한 햇빛 아래의 음영(陰影)처럼 일렁이고 그 어둠 너머로 언뜻언뜻 수없이 많은 별과 은하의 모습이 비치고 있다.

인간이라기에는 너무나 초월적인 외형.

"매니저 오빠……! 이게 무슨 짓이에요!?"

'아니, 매니저도 있는 거야? 심지어 매니저도 초월자……?'

내가 기막혀하거나 말거나 플라워가 마법으로 옷을 만들어 입었다. 그 모습에 사내가 으르렁거린다.

"무슨 짓이에요? 너 제정신이야? 너! 지금 하려고 했지?"

"오빠가 무슨 상관이에요!"

"당연히 상관이 있지! 넌 너무 어려! 드래고니아를 나오기 전에 들은 말을 벌써 잊은 거냐!?"

버럭버럭 소리 지르며 싸운다.

'어려? 어리다니 이게 뭔 소리지?'

의아해할 때였다.

[전투 경찰이다! 모두 손들어!]

짜렁짜렁한 외침과 함께 수십 대의 기가스가 부서진 벽 너머로 모습을 드러낸다.

만약 다른 문명이었다면 초월자 사이의 일에 어디 필멸자 따위가 끼어드냐고 깔아뭉갰겠지만……. 여기는 34지구.

"아이고."

상황은 개판이었다.

가장 앞에 있던 기가스의 가슴팍이 열리고 전투 경찰들이 모습을 드러낸다.

"어둑서니 씨. 이거 알 법한 분이 왜 이러십니까? 기물 파손에 가택 침입이라니."

"하려면 조용히라도 하셔야지 이 시간에……."

그들은 조금의 두려움도 없이 사내. 어둑서니에게 붙어 팔을 붙잡았다.

당연하지만, 어둑서니는 경찰의 손을 떨쳐 내지 못했다.

그들이 초월자만큼 강해서가 아니라 그것이 공권력에 반하는 행위이기 때문이다. 자기를 잡으러 온 경찰에게 무력으로 대항하는 이는, 강자가 아니라 한 치 앞도 못 보는 머저리일 테니까.

기가스에 특화된 34지구의 전투 경찰은 초월자도 쉽사리 살해하는 게 불가능한 상대고, 일단 저항이 시작되면 경찰이 아니라 군대가 몰려 올 것이다.

“잠시만, 이것 좀 놔주십시오. 저 로리콘, 소아성애자 같은 놈이 플라워에게……!”

“…….”

나는 어둑서니의 말에 뒤를 돌아보았다. 2미터나 되는 나보다야 당연히 작지만, 그럼에도 모델처럼 큰 키에 볼륨감 있는 몸매의 여성이 나를 마주 본다.

‘……소아성애자?’

소아성애(小兒性愛)란 무엇인가? 그것은 소아(小兒), 즉 어린아이에게 성애(性愛), 성적인 욕망을 느끼는 행위를 말한다.

그러나 지금 플라워의 저 모습 어디에서 그런 단어를 떠올릴 수 있단 말인가?

당연히 경찰들도 어둑서니의 말에 동의하지 않았다.

“선생님. 그거 알 만하실 분이…….”

“아무리 매니저여도 이런 식으로 사생활을 강제하시면 안 돼요. 요즘 10대 아이돌한테도 안 하는 짓을…….”

“심지어 피차 초월자이지 않습니까? 아니 살다 살다 초월자 사생활 통제를 다 보네…… 아무리 아이돌판이 살벌해도 이건 좀.”

“플라워는 아직 어려요!”

흥분한 어둑서니의 말에도 전투 경찰은 침착하다.

“자자, 선생님. 여기서 이러지 마시고 서에 가서 이야기합시다. 외계인 등록증을 보니 1,002살인데 그 정도면 드래곤 중에서도 성룡 아닙니까."

"아…… 그건…… 와, 미치겠네……."

"자자, 진정하시고. 지금 복구 아티팩트를 사용하겠습니다! 뒤로 물러나세요!"

전투 경찰이 품에서 기다란 막대기를 꺼내 부러트린다.

웅!

파괴되었던 벽과 현관이 마치 시간이 되감기듯 복구되어 간다. 좁혀지는 현관문 너머로 경찰들에게 붙잡힌 어둑서니가 소리친다.

"플라워! 후회할 짓은 하지 마!"

"……."

이내 복구가 완료되고 시끄럽던 거실이 고요해진다. 나는 이마를 짚었다.

'아…… 이거 뉴스 나오겠지? 환장하겠네…….'

게임 마스터의 사도에, 이번에 초월지경에까지 오르면서 나에 대한 대중의 관심이 하늘을 찌를 시기.

그 상대가 일반인이어도 엄청난 화제가 될 텐데…… 심지어 스페이스 스타인 초월자 아이돌 F · D의 멤버와 얽힌 것이다.

정의신의 존재로 악성 기사의 수가 적은 34지구지만…… 그렇다고 연예부 기자가 없는 게 아니다.

열애설 보도 정도는 딱히 악행도 아니니 거침없이 기사가 올라올 것이다.

"……미안해요."

그때 조용히 서 있던 플라워가 사과한다.

아까의 흥분은 다 날아가고 침울한 분위기가 흐른다.

"제가…… 너무 경솔했어요. 개인적인 상황도 정리를 안 하고 폐를 끼쳤네요."

"그렇지 않습니다. 저도 같은 마음이었는데요."

"하지만 제가 유혹하지 않았다면…… 설마 매니저 오빠가 이렇게까지 반응할 줄은 몰랐어요. 그 차분하던 분이……."

플라워가 몸을 돌려 거실을 가로지른다.

그 뒤를 따라 들어가자 그녀가 재질을 알 수 없는 투명한 잔을 2개 꺼내 테이블 위에 놓고는 고급스러운 디자인의 병을 꺼냈다.

또르륵.

노란빛의 음료가 따라지자 달콤한 향기가 거실을 가득 채운다.

"분위기 잡을 용도로 쓰려고 했는데……."

구시렁거리더니 그대로 원샷.

나는 내 앞에 놓인 잔을 홀짝이며 그녀를 지켜보았다.

내리 석 잔을 더 마신 플라워가 마침내 입을 연다.

"사실, 저는 450살이에요."

"그렇군요."

차분한 대답에 플라워의 눈이 동그래진다.

"안 놀라세요?"

"놀라는 건 소아성애자 소리를 들을 때 다 놀라서요. 그리고 이런 말씀드리기 죄송하지만, 인간인 저한테는 450살이라고 하셔도……."

성인, 아니 성룡(成龍)의 기준이 1,000살인 드래곤에게 450살은 미성년자(未成年者)이다.

그러나 인간이 450살을 마주하고 '어리다!'고 말할 수 있을까? 외모라도 아이라면 또 몰라. 누가 봐도 누님에 가까운 모습인데.

막말로 34지구의 나이 기준으로 20배 이상, 아르데니아 기준으로도 10배나 오래 살아온 존재가 아닌가? 이게 미성년자라는 건 드래곤 감성이지 인간 입장에선 기가 찰 소리다.

과연 플라워가 흥분한다.

"그렇죠!? 역시 이상하죠? 아니, 인간도 20살이면 성인이 되어 자립하는데. 인간보다 지능도 높고 태어난 당일 말을 트는 드래곤이 1,000살까지 미성년인 게 말이나 돼요!? 아니! 세상에 300살까지는 집 밖에도 못 나가게 하더라고요!"

버럭 외치는 모습을 보아하니 여러모로 쌓인 게 많은 모양.

'기묘하군.'

그녀는 절대 450살의 어린 드래곤이 아니다.

아무도, 심지어 그녀의 매니저조차 모르고 있지만…… 그녀. 그리고 나머지 F · D 멤버는 다섯 개의 머리를 가진 오두룡, 크로메틱 드래곤인 것이다.

오래 사는 노블레스 중에서도 전설적인 존재. 원로원주(元老院主)를 역임했던 고룡 중의 고룡.

'설마…… 모르는 건가?'

확인차 물었다.

"제가 드래곤에 대해 잘 모르지만, 전에 방송에서 봤던 플라워 님의 본체는 어지간한 웜급 이상으로 보였습니다."

지금까지 그녀를 본 사람 중 그녀가 1,002살 이하라고 생각한 이는 단 하나도 없다. 웅장한 규모의 본체에 다른 대마법사들이 자신보다 위라고 인정할 정도의 마법 능력을 갖추고 있는데 어떻게 해츨링이라고 생각할 수 있겠는가?

과연 내 말에 플라워가 멈칫한다.

"그…… 건."

플라워는 잠시 머뭇거리다 말했다.

"이건 비밀이지만…… 저와 저희 멤버들은 드래곤 중에서도 특수한 경우예요."

"쉐도우 드래곤(Shadow Dragon) 같은?"

흔히 그림자 용이라 부르는 쉐도우 드래곤은 용종 중에서도 가장 강력한 존재 중 하나다. 그림자로 이루어진 육신을 가지고 있기에 물리적인 피해에 면역이나 다름없는데 그 그림자에 담겨 있는 강력한 사념이, 악의적인 영력에 저항까지 하기 때문이다.

번식률이 너무 낮아 전 우주에서도 그 숫자가 많지 않지만, 정상적인 과정을 거쳐 성장한 그림자 용은 성룡이 되는 것만으로 어지간한 고룡에 필적하는 능력을 가진다.

귀족을 넘어서 왕족에 가까운 종으로 용황족(Kaiser dragon)의 핵심 세력이라 할 만한 힘을 가진 존재.

'아까 그 매니저가 그 쉐도우 드래곤으로 보였단 말이지…… 우주가 엿보이는 머리칼은 쉐도우 드래곤의 가장 대표적인 특질 중 하나니.'

생각해 보면 기가 찰 일이다. 쉐도우 드래곤씩이나 돼서 아이돌 매니저를 하고 있다니?

물론 그 아이돌이 드래곤. 그것도 그냥 드래곤도 아니고 크로매틱 드래곤의 화신들이라면 이야기가 다르겠지만.

어쨌든 내 물음에 플라워가 떠듬떠듬해 하며 답한다.

"어, 음. 그것보다는 조금 더 대단한……."

"그러면 신룡(神龍)인가요?"

신성(神聖), 그 자체를 품은 용종을 말한다.

용들에게도 신성시되는 황금용신(黃金龍神)이나 이제는 신화 속에서나 이름을 들어 볼 수 있는 니드호그

(Nidhogg), 요르문간드(Jormungand) 같은 신화룡.

묵시록의 붉은 용, 레비아탄 같은 태고적 마수 등이 바로 이 신룡에 속한다.

"그 정도는 아니고요…… 그래도, 뭐, 비슷한……."

미적거리는 플라워의 반응에 깨닫는다.

'……알고 있군.'

플라워는 자신이 크로매틱 드래곤의 머리 중 하나라는 사실을 알고 있다.

하기야 그걸 모르면 자매와도 같은 멤버들이 몬스터들에게 죽었을 때 그리 태연하지 못했으리라.

'바로 합체하기도 했었고.'

그러나 동시에.

그녀가 자신을 크로매틱 드래곤이 아닌 '플라워'라고 인식하고 있다는 것이 느껴졌다.

"대단하신 분이었군요."

"아니, 그런 말을 듣자는 건 아니었고요…… 그냥 제가 육체적으로도 정신적으로도 성인이라는 사실을 말씀드리고 싶었어요."

~♪♬

그때 부드러운 멜로디가 울린다. 눈을 깜빡여 소리 없이 누군가와 대화한 플라워가 깊이 한숨 쉰다.

"경찰서에 가 봐야 할 듯해요."

"같이 가야 하지 않겠습니까?"

"아뇨. 여긴 제 집이고 엄밀하게 말하면 사건 관계자가 아니니 오셔 봐야 일만 복잡해질 거예요. 다시 말씀드리는 거지만…… 정말 죄송해요."

"사과하실 문제는 아니죠."

자리에서 일어나 현관을 나선다.

문 앞에 서 있던 플라워가 문득 묻는다.

"제가…… 싫어졌다거나 하진 않겠죠?"

그녀의 말에 웃었다.

"조만간 저녁 식사 한 번 하시죠."

내 말에 울상이던 플라워의 얼굴에도 미소가 깃든다.

"네, 꼭."

* * *

엄청난 허기와 함께 눈을 떴다.

'또 체중이 줄었군.'

곧바로 일어나는 대신, 그대로 누워 가벼워진 몸의 상태를 살핀다. 이번엔 체중이 10킬로가량 줄었다. 전보다 덜 줄어들었지만 문제가 있다.

'근육도 근육이지만…… 뼈가 줄어들었어.'

골밀도가 줄어드는 그런 게 아니라 그 크기가 골고루 줄어들었다. 서 보지 않아도 안다. 지금 내 키는 190초반대인 것이다.

하루 만에 키가 10센티미터나 줄어든 것!

'아니 이건 생체인자라고 해도 지나친데?'

생체력 수련자가 생체인자를 만들어 내는 간격은 한 달 정도라고 알려져 있다.

그러나 게임처럼 쿨 타임이 있는 건 당연히 아니다.

'하고자 하면 매일 만들 수 있지.'

그러나 그런 짓을 할 수는 없다. 생체인자를 만들 때마다 무지막지한 수준으로 칼로리가 소모되기 때문이다. 생체력 수련자에게 칼로리는 무공 수련자의 내공 같은 것이어서 돈이 어지간히 궁하지 않은 이상 충분한 간격을 두고 만들어 내는 편이다.

근육만 10킬로그램이 줄고 키가 10센티나 줄어드는 건, 누가 봐도 정상이 아닌 사태였다.

"……."

잠시 고민하던 난 찌르는 듯한 시선에 고개를 돌렸다. 그곳에는 쏟아지는 햇살을 받으며 나를 응시하는 나체의 헤이즈가 있었다.

나는 고민을 멈추고 그녀를 안아 들었다.

"잘 잤어?"

"잤지?"

질문에 질문으로 답하는 헤이즈의 말에 멈칫하자 헤이즈가 재차 묻는다.

"플라워."

"뭐, 그렇지."

굳이 부정하지 않는다. 딱히 그럴 이유가 없었다.

"흥. 내가 그 풋내 나는 어린애 다음이라 이거군."

"다음은 무슨. 처음이 너였는데."

딱히 여자와 관계를 마다하지 않았다. 내 나이가 마흔이 훌쩍 넘은 데다 이 야만의 세상에서 20년을 살았는데 그럴 리가 있나?

그러나 내 첫 상대가 그녀였던 것도 사실이다.

가문에서 진행된 정략결혼에 검 한 자루 들고 가출한 말괄량이 귀족 아가씨와 애송이 용병대장이 2년이나 온갖 전장을 전전하며 깊은 관계가 되지 않았다면 그게 더 웃긴 이야기겠지.

"흐흐. 그건 좀 기분 좋은 말인데."

"아저씨같이 웃기는."

투덜거리는 내 말에 헤이즈가 말한다.

"다만…… 어젯밤은 솔직히 죽을 뻔했어. 아무리 그래도 그렇지 소드 마스터인데 이 모양이라니. 플라워 녀석하고는 어떻게 한 거야?"

"……."

내가 고개를 돌려 시선을 마주하자 헤이즈가 내 위로 올라탄다.

그녀가 말했다.

"딱 보니 알겠더라. 플라워 녀석 매일 새침한 척하더

니……. 아주 표정이 꽃처럼 폈더라고. 하기야 얌전한 고양이가 부뚜막에 먼저 올라가는 법이지."

쿨하게 말하지만 왠지 토라져 있는 모습에 작게 웃음을 터뜨린다.

"웃지 마."

그녀의 허리를 감아 끌어올린다. 그녀의 풍만한 가슴과 내 가슴과 겹친다.

"귀여워서 그런 건데."

"말은 잘하지."

쿡쿡 웃으며, 몸을 일으킨다.

삐져 있는 그녀를 달래도 줄 겸, 그녀를 번쩍 들어 안은 난 문득 느껴지는 감각에 말했다.

"어?"

"왜? 허리 나갔어?"

말 같지도 않은 소리를 무시하고 말했다.

"그게 아니라 체중이 늘어서."

내 말에 헤이즈가 정색했다.

"아닌데?"

"아니긴 뭘 아니야. 난 들기만 해도 해도 몸무게를 알 수 있다고."

"그래? 내가 몇 킬로인데?"

아까의 귀여운 질투는 사라지고 눈을 새초롬하게 뜨는 헤이즈의 모습에 어깨를 으쓱인다.

"내가 말하길 바라? 진짜? 나라면 다시 생각할 텐데……."

"무슨 뜻이냐! 가볍다는 듯 번쩍 들어 놓고!"

버럭 소리 지르는 헤이즈의 모습에 웃었지만, 내심은 좀 달랐다.

'관계를 시작하기 전보다 3킬로 이상 늘었다.'

명백한 이상 상황.

그리고.

체중이 늘어난 것은 그녀뿐이 아니었다.

"플라워?"

"앗, 죄, 죄송합니다. 폐하. 이상하게 자꾸 식욕이 일어서……."

업무를 진행하며 샌드위치를 먹고 있던 플라워가 얼굴을 붉힌다. 그녀의 책상 아래에 수북이 쌓여 있는 접시들이 보인다.

"……."

잠시 그녀를 가만히 바라본다.

인간을 초월한 감각에 그녀의 하복부에 있는 전혀 새로운 무언가가 인지되고 있었다.

눈을 감고 정신을 집중하자.

두근.

작디작은 심장 박동에 절로 신음이 흘러나온다.

"이건……."

"폐하?"

의아한 표정의 플라워를 가만히 바라보았다.

'설마 이제 와서 이렇게 될 줄이야.'

아르데니아에서 살아온 20년 동안 여러 번 관계를 맺었지만 아이가 태어난 적은 없다. 씨 없는 수박이라는 귀족들의 조롱은 신경 쓰지 않았다. 그것과는 조금 다르다는 사실을 알고 있었기 때문이다.

내가 아르데니아의 멧돼지 고기를 입에 머금고 지구로 가뱉으면 멧/돼지/고기라는 텍스트로 분리되어 흩어지듯…….

내 신체의 일부는 내 몸에서 떨어져 나가면 일정 시간 후에 사라진다.

내가 누운 침대에 머리카락 하나 남지 않을 정도이니 피임이고 나발이고 임신 걱정을 할 필요가 없었는데.

'이번에 초월의 육신을 얻게 되며 상황이 좀 달라진 모양이네.'

그러나 아무리 그래도 무지막지한 일이다. 그녀와 관계를 맺은 지 아직 30시간도 채 지나지 않았는데 벌써 심장 소리가 들리다니? 플라워에 대한 내 신뢰가 절대적이기 망정이지 보통이라면 외도를 의심하였을 것이다.

"플라워. 오늘 업무는 여기까지 해."

"예? 하지만 폐하."

"안색이 좋지 않다. 일을 넘기고 쉬어. 거기."

나는 주변에 있던 시종을 불렀다.

“네, 폐하!”

“플라워와 연관된 5급 행정관 전부를 소집해라. 플라워가 지금부터 3달. 길면 1년 이상 쉴 수 있다는 가정하에 계획을 잡아 오라고도 전하고.”

“폐하?”

플라워가 깜짝 놀라 자리에서 일어났지만 목소리에는 힘이 없다. 심지어 내 감각에는 그녀의 두 다리가 후들후들 떨리고 있는 것도 느껴졌다.

그녀는 그냥 나와의 관계에서 무리를 하는 바람에 그런가 보다 생각하는 모양이지만 문제는 관계 자체가 아닌 그 결과.

나는 플라워를 번쩍 들어 안았다.

“꺄! 폐하!?”

“행정관 녀석들한테 인수인계나 하고 쉬어. 혹시 먹고 싶은 게 있나?”

“아니, 아니 대체…….”

얼굴을 새빨갛게 물들인 채 당황하는 플라워를 내 침실로 옮긴 후 시녀들을 붙였다.

“최대한 다양한 종류의 음식들을 많이 준비해라. 질은 말할 필요도 없겠지?”

“네, 폐하.”

“성인 여성 한 명이라고 생각하지 말고 장정 열 명이라고 가정해라.”

고작 이틀 만에 심장 소리가 들릴 정도로 성장했다. 이게 만약 극의지체(極意肢體)와 관련된 문제라면 음식이 많이 필요할 것이다.

'하지만 모르겠네. 극의지체라 해도 자식한테 자동으로 생체인자가 넘어간다는 소리는 듣도 보도 못했는데…….'

차라리 임신이 어렵다는 말은 많이 들었다. 아무래도 대기와 아르데니아의 존재로 인해 발생한 특수 상황인 듯했다.

"뭐, 어쨌든."

나는 당황하는 플라워를 방에 데려다 주고 이번에는 헤이즈의 방에 찾아갔다.

고오오오---

헤이즈는 침대 위에서 가부좌를 취하고 앉아 있다. 그녀의 몸을 휘도는 유형화된 진기는 그녀가 하는 것이 단순한 명상이 아님을 알려 주고 있다.

"헤이즈."

"후우……."

진기를 수습하고는 헤이즈가 눈을 뜬다.

"뭐야, 벌써 돌아온 거야? 다시 한 판 하기엔 내가 좀 힘든데."

"쉰 소리 말고. 혹시 문제는 없어?"

내 물음에 헤이즈가 고개를 끄덕였다.

"왠지 모르게 마나 감지 능력이 점점 떨어지더라고. 어젯밤에 너무 무리해서 그런지 아니면 다른 이유인지 확인하고 있었어."

"잠시."

나는 그녀의 복부에 손을 올렸다. 그러나 사실 그럴 필요도 없었다.

웅……

인지가 확장된다. 나는 그녀의 몸 안에서 그 영역을 넓혀 가는 있는 생체인자의 감각을 공유할 수 있었다.

'역시…… 생체인자로군. 하지만 플라워랑 다르다.'

플라워는 의심할 것 없는 임신이었지만 헤이즈의 경우는 평범하게 생체인자가 그녀의 육신에 퍼져 가고 있는 상황이다.

생체인자를 받아들인 대상이 생체력 수련자로 거듭나는 일반적인 과정.

'뭐지? 왜 이런 차이가 생겨난 거지?'

나는 잠시 고민하다 말했다.

"헤이즈, 플라워가 임신했다."

"뭐? 너 그거 못하는 거 아니었어?"

내 몸 상태에 대해 알고 있던 그녀가 깜짝 놀란다. 나는 그녀가 오해하기 전에 설명했다.

"그랬었지. 하지만 이번에 몸에 좀 변화가 있었는데…… 그 이후로 변한 듯하군."

"아, 그래. 네 몸이 많이 변하긴 했지."

덩치 자체가 더 커진 걸 넘어 눈에서 빛이 뿜어지고 날숨에 폭풍이 불 정도의 변화! 물론 그런 모습을 헤이즈가 보지는 못했지만 기초 체온이 40도를 넘고 있으니 뛰어난 감각을 가진 그녀가 모를 리는 없다.

"어쨌든 모든 일을 멈추고 쉬게 해 놨어."

"어? 겨우 어제…… 아니 그저께 했는데, 벌써?"

"일반적인 경우가 아닌 듯 해. 다시 말하지만 내 몸이 좀 변해서."

"와. 여러모로 인간에서 멀어지는구나……."

기막혀하지만 의심하는 기색은 없다. 하기야 그녀로서는 말 한 마디로 성을 만들고 플레이어를 찍어 내는 모습이 더 말이 안 되어 보일 것이다.

그런데 헤이즈가 문득 깜짝 놀라 묻는다.

"어? 그럼 나도 임신하는 거 아냐!?"

"그러고 싶어?"

내 물음에 헤이즈가 멈칫한다.

"흠. 뭐 상대가 너라면 나쁘진 않을지도 모르지만…… 솔직히 그럴 마음은 별로 없어. 아직은 검을 더 수련하고 싶거든. 별로 좋은 엄마가 될 것 같지도 않고."

그녀의 말에 생각한다.

'어쩌면 이게 원인일지도 모르겠군.'

생체력의 방향성을 결정하는 것은 염원(念願)이다. 팔이 네 개이길 바라면 팔을 네 개로. 여자가 되고 싶다면 육체를 여자로 만들어 버리는 영능.

"그렇다면 걱정할 필요 없어. 네게는 내 인자가 좀 다른 식으로 적용되었으니까."

"네…… 인자?"

"그래. 아마 지금부터 네 몸이 좀 변할 거다."

나는 생체력 수련에 대해 그녀에게 이런저런 조언을 남겼다. 물론 이미 내공 수련자인 그녀가 일반적인 생체인자를 받아들이게 되면 오히려 전력이 약화될 위험성이 있었지만.

'아무래도 좀 다를 수 있단 말이지.'

어쩌면 나의 대기(大器)를 그녀가 얻을 수 있을지도 모른다.

"마나 감지 능력이 떨어지는 게 그런 이유였다니…… 뭐, 알았어. 상황을 지켜볼게."

"식사는 항상 지나치다 싶을 정도로 먹어야 해."

"그래그래. 성은이 망극하옵니다."

헤헤 웃으며 침대에서 몸을 일으키는 헤이즈.

그녀가 문득 생각났다는 듯 묻는다,

"아, 그러고 보니 레드는 만나 봤어?"

* * *

레드.

헤이즈가 발견해 데려온 중학생 정도의 꼬맹이다. 부

모에게 버림받은 고아로 원래대로라면 황제인 내가 관심 가질 이유가 없는 대상.

그러나 헤이즈가 괜히 그녀를 내게 데려온 게 아니다.

'미래의 영웅.'

레드는 영웅 클래스인 엘리멘탈리스트(Elementalist)와 전설 클래스인 마스터 위저드(Master wizard)의 가능성을 품은 녀석이다. 헤이즈는 그중 엘리멘탈리스트로서의 그녀를 만난 적이 있기에 그녀를 알아볼 수 있었다.

"뵙게 되어 영광입니다…… 레드라고 하옵니다……."

엉거주춤한 자세로 예를 취하는 꼬마의 모습을 가만히 내려다보았다. 아직 어린아이지만 선명한 적발에 하얀 피부는 그녀의 장래성을 내 보이고 있다.

'하긴 네임드 NPC이니 당연한가.'

그렇게 생각하며 묻는다.

"그래. 3클래스에 도달했다고?"

"헤이즈 언니가 많이 도와주셨어요. 마법서도 구해다 주시고……."

"어느 마법을 익혔지?"

"원소 학파의 서클링과 주문을 익혔습니다. 헤이즈 언니가 추천해 주셔서……."

레드는 많이 긴장한 상태였다. 하기야 평민 고아였던 그녀가 황제를 마주하고 있으니 긴장하지 않으면 오히려 이상한 일이리라.

'확실히 천재는 천재군. 제대로 마법을 배운 지 몇 년 되지도 않았을 텐데, 3클래스라.'

헤이즈는 그녀에게 클래스를 주는 것도 생각해 보라고 했지만 나는 그럴 생각이 없었다. 전력이 급한 것도 아니니 지금부터 차분히 가르치는 쪽이 나을 것이다.

"그래. 고민은 없고?"

"아, 별로 고민은…… 아."

레드가 잠시 멈칫한다.

"무슨 문제가 있나?"

"흠. 중첩 좌표로 세 개 이상의 술식을 전개하면 마력 순환이 둔화해요. 그것만 해결되면 서클링 회전을 가속할 수 있을 거 같은데……."

레드의 말에 알현실이 침묵에 잠긴다.

"……."

"……."

"……."

아무도 입을 열지 않는다. 여기에 감히 그럴 사람은 없다. 그녀를 데려온 시종과 주변에 대기 중이던 시녀. 내 주변을 지키고 있던 기사는 소리 내어 지탄하는 대신 눈만을 부릅뜨고 그녀를 노려보고 있었다.

눈빛만 보면 당장이라도 그녀를 잡아 죽일 수준! 그러나 그런 사람들의 눈빛을 레드는 전혀 인식하지 못하는 모양이다.

'아, 이 녀석. 이제 보니 사차원이었군?'

황제가 고민이 있냐고 묻는데 평소 마법 막히는 부분을 물어보다니.

나는 웃었다.

"하하하! 그게 고민이었군."

"아, 죄송합니다! 그냥 요새 그 생각을 하다 보니……."

"죄송할 것 없다. 로그아웃."

나는 지구로 돌아왔다.

"하하. 나 참 별일을 다 겪네."

헛웃음을 지으며 지식인에 글을 올린다.

[질문] 고뇌하는 여포(새싹) : 서클링 회전 가속에 대해서 누가 알려나 ㅠㅠ

원소 학파의 서클링을 수련 중입니다. 요새 계속 신경쓰이는 부분이 있어요.

중첩 좌표로 세 개 이상의 술식을 전개하면 마력 순환이 둔화해요. 그것만 해결되면 서클링 회전을 가속시킬 수 있을 거 같거든요?

혹 방법이 없을까요?

그렇게 질문을 올리고 인터넷을 뒤진다.

역시나 걱정하던 기사가 올라와 있었다.

[F · D멤버와 사도 한재연의 자택 연애?]

[플라워♥한재연 열애 사실일까?]

[스페이스 스타와 게임신의 사도가 밤중에 만난 이유는?]

[매니저의 습격으로 경찰 출동한 사연!]

[초월자 커플 탄생!?]

"아이고……."

아직은 기사 수가 그리 많지 않다. 경찰이 돌아간 지 얼마 지나지도 않았고 기자들도 이제 파악하는 상황.

그러나 내일이 되면 상황은 달라질 것이다.

"뭐 해프닝으로 끝나겠지."

내가 무슨 연애 금지 조항을 가진 아이돌도 아니고 문제가 생길 일은 없을 것이다. 어쩌면 플라워는 가지고 있을지도 모르지만…… 결과적으로 아무 일도 없었지 않은가?

"그러고 보니…… 다행인지도 모르겠다."

플라워와 헤이즈와 관계하고 나서 육체에 심각할 정도의 결손이 생겼다. 근육만 27킬로그램이 빠졌고 키가 10센티나 줄어든 상황!

아직 스스로 통제하지 못하는 이 '체질'이 초월자인 플라워와 관계에서 발동하기라도 한다면?

농담이 아니라 온몸의 근육이 다 날아갈지도 모른다.

"야옹!"

"아, 답변 달렸네."

나는 지식인에 접속해 답변을 읽었다.

답변이 5개나 달렸다.

“아니, 마나도 별로 안 넣었는데 뭐 이렇게 답변을 열심히 달아…….”

그러나 다시 생각해 보면 당연한 일이다.

34지구의 마법사 인구는 무려 50억!

마법 주문 하나 때문에 살인이 나던 아르데니아와 달리 34지구에서는 마법에 대해 떠들고 싶어 하는 마법사가 수천만 명이 넘는다.

“로그인.”

아르데니아로 넘어가 말한다.

“술식을 전개하지 마라.”

“……네?”

멍한 표정의 레드를 보며 설명했다. 솔직히 뭔 말인지 나도 정확히 이해하지 못했지만, 가장 많은 추천을 받은 답변이니 맞겠지.

“중첩 좌표 술식을 그대로 두고 마력만 순환시켜라. 그 순환만 끊기지 않게 할 수 있다면 술식은 자연히 전개될 것이고 그거라면 서클링 가속도 어렵지 않을 것이다.”

“…….”

레드가 멍한 표정으로 나를 바라보더니 그대로 눈을 감았다.

“아니, 저 녀석이…….”

"여기가 어디라고……."

기사와 시종이 참지 못하고 몸을 들썩이는 모습에 손을 들어 말린다. 분위기가 살벌하거나 말거나 레드는 두 눈을 꼭 감은 채 가만히 엎드려 있었다.

그리고 어느 순간.

우우우웅----!

강한 공명음에 모두가 깜짝 놀란다. 태연한 척했지만 나 역시 기겁할 수밖에 없었다.

'4클래스!?'

서클링이 늘어나는 게 감지된다. 그녀의 마력이 폭증하고 있었다. 고작 잠깐의 조언만으로 벽을 넘어선 것!

"세상에……!"

"이럴 수가…… 이거 4클래스 아닙니까?"

항상 정숙을 지키던 수하들이 신음을 흘린다. 4클래스면 인류제국에서도 상위 0.1%에 속하는 고위 마법사인데 고작 중학생 정도의 소녀가 발을 들인 것이다!

'천재는 천재군. 신화급이 아닌 전설급도 이 정도는 된다는 건가.'

"후우……."

호흡을 고른 레드가 눈을 뜬다. 그녀의 붉은 눈동자가 별처럼 빛나고 있다.

"축하한다."

"아, 감사합니다! 감사합니다, 폐하!"

활짝 웃는 레드. 그리고 경악에 빠져 있는 수하들.

'하기야 놀랄 만하겠지. 그들의 상상을 초월하는 천재일 테니.'

그러나 녀석들이 하는 이야기는 내 생각과 달랐다.

"마법에 대한 깨달음마저 하늘에 닿으셨단 말인가……."

"말 한 마디로 서클을 올려 버리시다니…… 정말, 정말 위대하시다."

"새로운 서클링을 다 황제폐하께서 만들었다고 하시더니 정말이었다니……."

신음하는 녀석들의 모습에 멈칫한다.

'아니, 뭔가 오해하는 거 같은데?'

그러나 그 반응에.

문득 떠오르는 아이디어가 있었다.

'잠깐만, 이거 꽤 괜찮은 방법 아닌가?'

모든 창작자의 공적, 악성 텍스트본 유출자 한재연의 활약에 힘입어 아르데니아의 마법 문명은 하루가 다르게 발전하고 있다.

주문 한 줄을 위해 온갖 허드렛일을 해야 하고 공식 하나를 위해 죽고 죽이는 마법계는 이미 없다.

아르데니아의 기존 마법 체계를 쓰레기로 만드는 우월한 마법적 지식이 아무런 제한도 없이 풀려나고 있었기 때문!

그러나 그렇게 마법 지식을 풀어도 한계는 분명하다.

'스승 없이 교과서만 가지고 지식을 쌓아야 하는 상황이니까.'

당연히 여기저기에서 막힐 수밖에 없고 심지어 마법서나 서클링을 잘못 이해해서 익히는 경우도 허다하다.

이게 한두 명이 그런 게 아니라 수천수만 명의 상황이니…… 그것을 개선하기만 해도 상황이 크게 나아지리라.

'나중에 해 봐야겠군.'

그렇게 생각을 정리한 후 말했다.

"그래, 문제는 해결이 되었나?"

"네, 폐하!"

"그래. 앞으로도 마법 수련 열심히 하고."

나는 레드를 마지막으로 접견을 마치고 접견실을 나왔다.

"플라워에게 가겠다."

"네, 폐하."

시녀의 안내를 따라 복도를 걷는다. 길드 타워의 구조는 가운데가 비어 있는 정사각형으로 안내 따위 필요 없지만 이렇게 미리 말해 줘야 혼란이 없다.

"식사량은 어떻지?"

"하루에 120인분씩 드시고 계십니다만…… 그럼에도 마르고 있습니다."

"영양분이 많은 음식 위주로 계속 공수해. 모든 성에 연락을 돌려 편하고 다양하게 먹을 수 있도록 하고."

"네, 폐하."

나는 플라워가 머물고 있는 방에 도착했다. 넓은 침대 위에 기대앉은 플라워가 간이 테이블에 놓여 있는 스테이크를 썰어 먹다가 나를 보고 벌떡 일어난다.

"폐하."

"일어날 필요 없다."

그녀의 상태는 썩 좋아 보이지 않다. 눈 밑은 퀭하고 피부는 푸석푸석.

몸이 바짝 말라 그리 많지도 않은 근육이 선명히 드러난 모습은 극단적 다이어트를 진행 중인 모델처럼 보였다.

"몸은 좀 괜찮나?"

"먹다 지쳐 쓰러질 것 같기는 합니다. 폐하. 화장실도 거의 안 가는데 이 정도라니……."

"미안하군. 내가 조심해야 했는데."

솔직히 불안하다. 인간을 초월한 내 혈통을 출산하는 것이 일반인에 불과한 플라워에게 끼칠 영향을 확신할 수 없었기 때문이다.

만약 아이가 태어나기 위해 플라워에게 영구적인 피해를 끼친다면?

'그때는…… 수술을 해서라도 생체인자를 분리해야겠지.'

그렇게 생각할 때였다.

"그런 말씀하지 마세요, 폐하."

그렇게 말하며 자신의 배를 쓰다듬는다.

나와 관계를 맺은 지 고작 2주가 지났을 뿐인데 그녀의 배는 벌써 눈에 띌 정도로 부풀어 있다. 온몸이 바짝 마른 상태이기에 더욱 눈에 띈다.

"저는…… 제 인생 어느 때보다 행복하니까."

꿀이 뚝뚝 떨어질 듯한 눈빛으로 자신의 배를 바라본다.

결국, 나는 내 계획을 슬쩍 밀어 버리고 말했다.

"피폐 플래그 같은 소리 금지."

"……플래그요?"

영문 모를 소리에 어리둥절해 하는 플라워를 보며 웃는다.

"됐고. 아이가 걱정된다면 더 열심히 먹어라. 뼈만 남아서 이거야, 원."

내 말에 플라워가 울상을 짓는다.

매사에 철두철미한 그녀에게서 보기 힘든 종류의 표정이었다.

"온종일 먹고 있는데……."

"더 빨리 먹어. 영양분이 모자라면 너는 물론이고 아이에게도 좋지 않다."

내 말에 플라워가 깜짝 놀라 눈을 동그랗게 뜬다.

"폐하, 좋지 않다는 건……."

"미숙아가 될 수도 있다는 거지. 명심해. 내 혈통은 보통의 인간과 다르다. 어마어마한 음식이 필요할 거야."

생체력의 특징이다. 생체력 수련자는 성장에도, 유지에도 어마어마한 칼로리가 필요로 하기에 단독 작전 능력이 중요한 저격병이나 강하병(降下兵)의 경우 생체력 수련자는 아무리 수준이 높아도 서류에서 잘린다.

생체 진화를 특이하게 하지 않는 이상, 유지 능력이 너무나 떨어지기 때문.

플라워의 눈에 결연함이 깃든다.

"……네, 폐하. 최선을 다하겠습니다."

아까보다 더욱 전투적으로 식사를 시작하는 플라워를 두고 복도로 나선다.

"지금 붙어 있는 사제가 몇이지?"

"일반급이 열, 고급이 셋입니다."

"두 배로 늘리고, 음식을 계속 대기시켜라. 씹는 걸 힘들어한다면 갈아 주는 방향도 고민해 봐."

"예, 폐하."

조치를 마친 난 헤이즈의 방을 향해 걸어가며 생각했다.

'그나저나 복구가 쉽지 않군.'

관계를 맺은 지 2주나 지났지만 줄어든 근육과 뼈의 복구는 지지부진하다. 근육은 이제 8킬로그램 회복시켰고 키도 고작 1센티 자란 상황.

'쾌락은 한순간이지만 근손실은 기나길구나…….'

체중을 늘리는 거야 많이 먹으면 그만이지만 그걸 근육

으로 바꾸는 과정이 정말 쉽지 않다.

무엇보다 내 근력은 너무나도 강해서 일반적인 방법으로는 성장시키기 어렵다.

"폐하."

"그래, 헤이즈의 상태는?"

내 물음에 헤이즈의 방을 지키고 있던 시녀가 답한다.

"식사와 수련을 반복 중이십니다."

"식사량은?"

"매일 180인분씩 드시고 계시지만 그럼에도 많이 마르셨습니다."

그래도 기사라고 플라워보다 훨씬 적극적인 식사량. 나는 고개를 끄덕이고 안으로 들어갔다.

"후우…… 왔어?"

바닥에 가부좌를 취하고 있던 헤이즈가 손을 들어 나를 반긴다.

플라워만큼은 아니지만, 그녀도 얼굴이 반쪽이다.

"부탁한 초기화 포션."

"아, 고마워! 툴팁에 쓰여 있는데 어디에서도 드랍이 안 돼서!"

초기화 포션은 캐시 아이템이니 당연히 그 어떤 드랍 테이블에도 등장하지 않는다.

메인 퀘스트나 서브 퀘스트에서 종종 등장하지만…… 아쉽게도 아르데니아에서는 NPC가 없다.

'하…… 그래. 돈도 잘 버는 상황이니 슬슬 주식을 사야지.'

메인 NPC와 쓸 만한 보상을 주는 서브 NPC에 대해 생각하는 동안 헤이즈가 초기화 포션을 마신다. 나는 가벼운 차림의 그녀를 보고 말했다.

"많이 말랐군."

"꿀꺽…… 푸하! 그래. 아주 먹다 죽을 지경인데도 계속 말라! 아니, 세상에! 멧돼지 뒷다리를 수십 개씩 먹는데 가슴이 F컵이 됐다니까? 가슴이 머리보다도 작아졌어!"

"……."

나는 헤이즈의 말을 대충 흘리고 물었다.

"스텟은 어쩔 생각이야?"

"전부 마나력이지."

"전부?"

"그래, 전부!"

아직 가야 할 길이 먼 플라워와 달리 임신이 아닌 진화의 재료로 생체인자를 받아들인 헤이즈는 안착이 거의 끝난 상태였다.

그리고 그 결과는 흥미로웠다.

그녀의 육신에 새로운 생체 기관, 대기(大器)가 만들어진 것이다.

'역시 일반적인 생체인자와는 다르다.'

모든 사람이 각기 다른 방식으로 생체 진화를 이뤄 가지만, 그들이 만들어 내는 생체인자의 효과는 동일하다.

생체인자는 인간의 육신 자체의 가능성을 일깨워 줄 뿐 그 자체에 특별한 방향성을 부여하지는 않는다는 말이다.

무엇보다 이제 막 생체력에 입문한 수련자가 대기처럼 강대한 효과를 가진 생체 기관을 만든다는 건 있을 수 없는 일이다.

'그나저나 마나력이라.'

마나량 아닌 마나력. 당장의 마나가 아닌 마나를 다룰 수 있는 힘을 높이겠다는 뜻.

예상치 못한 이야기였지만 나는 금방 헤이즈의 의중을 파악할 수 있었다. 나 역시 대기에 대한 여러 가지 계획을 세워 봤기 때문이다.

"그렇군. 이미 그릇은 마련되어 있다는 건가?"

"맞아. 이렇게 큰 그릇이 완성되어 있으면 굳이 마나홀을 만들고 유지할 필요가 없지. 마나력만 엄청나게 높여 두면…… 빠르게 마나를 키울 수 있어."

"그런가."

나는 고개를 끄덕인 후 품에서 종이 한 뭉치를 꺼냈다.

"이게 뭐야?"

"물리적인 마나홀. 그러니까 대기(大器)에 맞는 심법이다. 아직 전반부밖에 만들지 못했으니 나중에 더 익혀야 해."

"심법을 만들어? 허…… 뭐. 너라면 이상한 일도 아니지만."

"다른 사람은 익힐 수 없어. 대기를 전제하고 있는 심법이거든."

"이름은?"

"대기만성(大器晩成)."

내 말에 헤이즈의 얼굴이 뜨악하게 변한다.

"……왜?"

"네이밍 센스하고는……."

"아니, 대기 뒤에 붙일 말이 만성 말고 뭐 있냐?"

잠시 티격태격하다가 방을 나선다. 마음 같아서는 더 놀고 싶지만 그럴 시간이 없다.

"바쁘구먼."

집무실로 돌아와 시야 한편의 시스템 UI를 터치, 길드 게시판에 접속했다.

예전에는 종이로 된 원고를 집무실에 쌓아 놓고 작업했지만, 요즘은 서기들에게 길드 게시판에 필사를 시킨 뒤 그걸 읽는 편이다.

모든 작가가 글씨를 잘 쓰는 건 아니었던 만큼 간혹 읽기 힘든 글자가 튀어나오기도 했고 다량의 원고가 집무실 공간을 차지하는 등의 문제가 있었기 때문이다.

"로즈리안 작가가 신작을 썼군…… 게이트 이후라."

필사를 시작한다. 제국 문학 공모전 끝났다 해도 원고

는 계속해서 생산되고 있다.

그들의 작품 활동은 황제인 내 명령에 따라 진행되고 있기에 그 어떤 방해물도 있을 수 없는 상황.

나는 현실에서 발생하는 인세를 기준으로 작가들에게 이런저런 혜택과 보상을 주는 동시에 드워프들을 동원해 대형 인쇄기를 제작하고 있었다.

즐길거리가 부족한 아르데니아니 문학을 부흥시키는 건 그리 어렵지 않은 일이리라.

"그나저나…… 이거 내가 너무 많이 등장하는데?"

물론 그런 작품은 이미 많았지만 선호작 100단위의 망작들과 문제의 화제작 사이에는 어마어마한 간격이 있었다.

"뭐 됐어. 재미있으면 그만이지…… 리벤지 관련 저작권도 해결했고."

게이트 이후는 새순이 돋을 때의 2부격 작품이다.

인류제국의 황제가 공모전을 열고 그 일로 인해 시작되는 이야기.

"……재미있군. 전작보다 훨씬 더 재미에 신경 쓴 티가 나."

로즈리안이 내가 지구에서 가져온 작품들과 예스의 글 등에서 영향을 받은 듯했다.

하기야 부제가 판타지 세상에서 작가로 사는 법일 정도니 더 말해 무엇하겠는가?

"로그인."

"로그아웃."

나는 인기순으로 필사를 죽 이어 나갔다. 로즈리안의 작품 말고도 필사할 작품이 수두룩한 상황이라 시간이 죽죽 흘러간다.

그리고 그렇게 필사에 시간을 투자하는 사이.

[게임신의 사도와 스페이스 스타 F·D 플라워의 핑크빛!?]

[범상치 않은 커플 탄생이 다가오나? 한재연♥플라워]

[플라워의 매니저가 경찰서에 간 이유는?]

[모두가 잠든 시각! 플라워와 함께 걷는 한재연의 모습 포착!]

[두 사람 인연의 시작된 오룡넷은?]

"아이고……."

짐작대로의 기사가 올라오고 있다.

물론 반응이 아예 나쁜 것은 아니었다.

↳차노아 : 와. 초월자쯤 되니까 드래곤하고도 스캔들이 날 수가 있네.

↳바라바라바라밀 : 플라워 눈나…… 헤으응……

↳보들이 : 너무 부럽다. 와. 드래곤? 그것도 플라워라고? 이거 진짜 로망 아니냐?

↳**드래곤러버 : 아니 로망이긴 한데 그건 인간 입장이지 드래곤들은 기분 나빠하지 않을까?**

↳**보들이 : 그렇긴 해. 심하면 수간으로 본다던데……**

킬리언스의 쪽지함을 열어 보았다.

[쪽지함 : 9999개(+)]

느티나무 계정과 다를 바 없는 상태가 되었다. 이번에는 마이튜브 채널을 열었다.

↳**킬링미 : 진짜 사귐? 진짜 사귐? 진짜 사귐?**

↳**드리머 : F·D는 이제 막 활동하는 그룹인데 너무 이기적인 거 아니에요?**

↳**판타지마스터 : 존경합니다 형님! 드래곤이라니요! 멋지십니다!**

"역시 이렇게 되나……."

마이튜브 촬영은 거의 스톱 된 상태다. 애초에 콘텐츠 자체가 별로 없기도 했고 하루가 너무 바빠서 채널을 운영할 여유도 없다.

그리고 무엇보다 돈이 안 된다.

잘 풀린 채널 하나 가지면 월 수천도 넘게 번다지만 그건 모든 시간을 채널에 갈아 넣을 때나 가능한 일이 아닌가? 과거의 나라면 그까짓 시간을 못 갈아 넣어!? 라고 생각했겠지만.

'못 갈아 넣는다. 그럴 가치가 없어.'

다수의 계정으로 웹소설을 연재하며 벌어들이는 돈이 그야말로 상상 초월하는 수준이고, [필명]들이 인지도를 얻어 갈수록 그 수준은 점점 높아져만 간다.

단지 글을 베껴 쓰는 것만으로 달마다 수억 이상의 수익!

지금의 내가 따로 시간을 빼서 쓰려면 그 이상의 가치가 창출되어야만 한다.

"야옹!"

체다가 울었다. 녀석의 코를 눌러 주자 녀석이 나를 바라보며 말한다.

"안녕하세요, 한재연 님. 용병 관리청 최상급 감독관 관목영입니다. 혹시 통화 가능하신가요?"

심장이 크게 뛴다. 계속해서 기다리던 전화였기 때문이다.

다시 말하지만 나는 이미 달마다 억 단위의 수익을 내는 존재.

지금의 내가 따로 시간을 빼서 쓴다는 것은 그 일이 그 이상의 가치를 창출한다는 이야기이며.

"물론입니다. 혹시……."

지금 바로 그 일이 내 앞에 도착해 있었다.

"네, 그렇습니다."

최상급 감독관, 관목영이 친절한 목소리로 답한다.

"용병 등록이 완료되었습니다."

원래 용병 등록에는 수많은 과정과 증명이 필요하다. 개인의 전투력, 가지고 있는 장비, 지금까지 세운 업적 등등을 포괄적으로 파악하는 것!

우주 용병 활동에 기가스가 필수는 아니지만, 34지구의 우주 용병 중 99% 이상이 개인 기가스를 소유하고 있는 게 바로 그런 이유이다.

대우주에서도 34지구 출신의 우주 용병이라고 하면 일단 고개부터 끄덕이는 게 괜한 일이 아니었다.

온 우주에 명성을 떨치는 34지구의 용병 자리에 아무나 들어갈 수는 없다.

'물론, 이제는 상관없는 이야기지.'

우주 용병 자리가 아무리 아무나 들어갈 수 없는 자리라지만…….

초월지경의 강자는 절대 '아무나'가 될 수 없다. 공식적으로 초월지경이 인증된 순간 그 모든 과정과 증명이 스킵.

초월지경이라는 경지 자체가 이미 증명이니 추가적인 과정이 필요 없다.

하위 문명에서는 신으로도 추앙되는 게 바로 초월자.

원래 초월자의 등장이라는 건 해당 문명의 운명 자체를 뒤바꿀 정도의 대사건이다.

멸망의 위기에 빠진 문명을 구해 낼 수도, 초월자를 배척하려는 기득권과의 세계대전을 벌일 수도 있는 것이 바로 초월자라는 존재.

초월자가 흔한 34지구이니 만큼, 게임신의 사도가 되었을 때보다 반향이 적었지만, 초월지경이라는 건 원래 누구에게도 꿇릴 일 없는 어마어마한 경지다.

"그럼 바로 찾아가면 됩니까?"

"지금 당장이라도 가능합니다."

"그럼 지금 가죠."

"스마트 펫으로 관련 주문을 전송했습니다."

잠시 기다리자 체다의 두 눈이 번쩍이며 마력이 뿜어진다. 나는 가볍게 옷을 갈아입은 뒤 안내에 따라 허공에 떠오른 게이트에 진입했다.

훙!

바람이 강하게 몰아친다. 어느새 난 나무 한 그루 없는 거대한 산맥 한가운데 서 있었다.

황량하기까지 한 그 거대한 대지 한가운데에는 마치 성채처럼 보이는 고층 빌딩이 서 있다.

'그 유명한 투쟁의 산맥이군.'

주변을 둘러보고 있는 내 앞으로 한 사내가 다가온다.

"용병 관리청에 어서 오십시오. 한재연 님."

“네, 반갑습니다. 관목영 씨.”

나를 마중한 것은 30대 초반으로 보이는 사내였다. 훤칠한 키에 탄탄하게 단련된 몸. 은근하게 느껴지는 기세는 그가 상당한 강자라는 것을 알려 주고 있다.

‘최상급 감독관이면 사도 바로 아래쯤 되는 사제일 텐데…… 자체 무력도 상당해 보이네.’

그렇게 생각하며 빌딩 안으로 들어간다.

“저 녀석이 그 새로운 초월자인가 그건가?”

“젊다. 젊어…… 아니, 세상에 20대에 초월자라니.”

“천살검귀 님은 고딩 때 초월지경이셨어.”

“아…… 진짜 초월지경은 될 놈만 되는 건가. 나도 진짜 뒤지게 수련하는데.”

“초월지경은커녕 벽도 구경 못한 놈이 뭔 망언이야?”

용병 관리청 로비에 앉아 노닥거리고 있던 노인들이 수군거리는 소리가 들린다.

34지구에서는 보기 힘든 백발의 머리와 주름진 피부.

나는 내심 감탄했다.

‘와. 어르신이 이렇게 많이 모인 건 난생처음 본다.’

그들은 멸망의 위기를 이겨 낸 역전의 용사이자 대우주 전체에 위명이 쟁쟁한 우주 용병들이다.

평균 나이 100세 이상!

그들 전원이 기가스 라이더이자 고위 능력자이니 지금 이 로비에 모인 인원만 움직여도 엔간한 하위 문명은 일주일 안에 멸망시킬 수 있을 것이다.

"청장님께 안내해 드리겠습니다."

"따로 과정이 있나요?"

"실질적으로 두 개만 하시면 됩니다. 정의신의 신관과 진실신의 신관의 주관하에 용병의 신조를 읽으시고, 그리고."

잠시 멈칫하는 목영에게 묻는다.

"그리고?"

"그리고 청장님과 대련을 하시면 됩니다. 다만 초월자이시니 평소처럼은 안 되겠군요. 사실 용병 관리청에 초월자가 지원한 건 처음이라서……."

당연한 일이다. 초월자가 싸워서 돈 벌고 싶다면 왜 34지구로 오겠는가?

우주 용병이 돈을 많이 벌긴 해도 대우주에서 깡패처럼 활동하는 것보다는 당연히 적게 번다. 34지구에는 진실신과 정의신의 간섭이 존재하기에 마음대로 남의 재산을 강탈하거나 하는 등의 행동이 불가능하기 때문이다.

띵!

엘리베이터를 통해 최상층에 올라간다. 높이가 3.5미터는 될 법한 거대한 문이 열리고 그 내부에 있는 존재가 모습을 드러낸다.

"오, 자네가 소문의 신참이군. 만나서 반갑네."

이제는 2미터나 되는 나보다도 훨씬 큰 덩치. 온몸을

뒤덮은 새하얀 털. 은은하게 빛나는 은색의 눈동자.

튀어나온 입. 쫑긋한 귀. 날카로운 발톱까지……

그렇다. 그는 인간이 아니다.

그는, 흔히 말하는 북극곰이었다.

“저도 뵙게 되어 영광입니다. 천현일 청장님.”

그는 약 50년 전 34지구에 귀화한 초월자로 영물도 초월종도 아닌, 그저 평범한 북극곰이라는 특이한 이력을 가지고 있다.

‘진짜 드문 경우지.’

나태석 PD 같은 경우는 고양이처럼 보이는 외모를 가지고 있다 하더라도 진짜 고양이는 아니다. 그는 용종과 성세를 겨루는 프라야나족!

반면 천현일 청장은 그냥 쌩 동물이다. 물론 초월지경까지 오른 걸 보아 곰 중에서야 천재였던 모양이지만 그래 봐야 야생 동물 아닌가?

천 년의 수련을 쌓아 등용문(登龍門)에 오른 영물들과도 전혀 다른, 그냥 수련 후 깨달음을 얻어 초월의 경지에 오른 케이스여서 매스컴에 꽤 등장했음에도 그 존재를 안 믿는 이들마저 있을 정도라고 한다.

‘내가 성공하긴 했군. 천현일 청장을 다 보고.’

캐릭터 자체가 워낙에 특이한 데다 초월자 중에서도 상당히 높은 수준의 전투 능력을 갖추고 있어 일종의 공무원임에도 컬트적인 인기를 가진 존재다.

그의 모습과 이름을 딴 마스코트 상품이나 상표가 있을 정도이니 더 말할 필요도 없으리라.

"지금 보니까 생체력 초월자로군? 듣기로는 차크라 초월자라고 했는데."

의아해하는 현일의 모습에 목영이 당황한다.

"예? 하지만 들어온 보고에 따르면 분명……."

괜한 오해를 하기 전에 손을 든다.

"아, 둘 다입니다."

내 말에 한 곰과 한 인간이 멈칫한다.

"두 개의 영능을…… 초월지경으로?"

"스무 살에?"

"각각 초월자에 올랐다기보다는…… 능력이 유기적으로 엮여 있는 편이지요. 참고로 무공도 요소를 열어 현문을 넘어선 상태고요."

"아니, 다른 이능을 요소로 깨우쳤다고요? 초반 리소스가 감당이 안 될 텐데……."

"여러모로 특이 케이스이긴 합니다."

일단은 그렇게만 설명한다. 지금의 내 능력은 여러 가지 사연이 복합적으로 얽힌 결과였기에 모든 상황을 설명할 수 없는 이상 대충 뭉개고 들어갈 수밖에 없다.

과연 그 상황을 이해하는지 현일이 고개를 끄덕인다.

"뭐, 자세한 사정까지 알 필요는 없겠지. 자, 이걸 받아서 읽게나. 내가 정의 신관이고 이 녀석이 진실 신관이니 그것만 해도 용병증 발급이 가능해."

나는 현일이 내미는 종이를 받아 들었다.

내용을 읽어 보니 별문제 없는 수준이다.

"하나. 나는 포괄적인 정의의 범위 안에서…… 둘. 나는 표준 용병법에 따라…… 셋. 나는 의뢰를 수행함에 있어……."

약 3페이지 분량의 용병 신조를 읽는다. 그리고 그 과정을 정의와 진실의 신성을 뿜어내는 현일과 목영이 지켜보았다.

그리고 그 모든 과정이 끝나자 목영이 내게 한 장의 카드를 내민다.

"특급 용병 등록증입니다. 게럴트로 만들어져 있는 물건으로 영자화가 가능하니 굳이 가지고 다니실 필요는 없습니다. 소유하신 동안 특급 정보 습득권, 특급 외교 권한이 주어지게 되며 이 자체가 일종의 은행 계좌이자 증권 계좌로 작동합니다. 한 달에 한 번씩 들어가는 1억은 품위 유지비입니다."

돈 벌겠다고 들어간 용병들에게 1억을 품위 유지비로 주다니!

실로 놀라운 물건이었지만 아직 끝이 아니다.

"더불어 6종의 궁극 주문이 내장되어 있고 30세제곱미터의 인벤토리와 만물 언어 변환 장치가 삽입되어 있으니 어느 문명, 어느 차원에 떨어지더라도 도움이 될 겁니다."

"오……."

그 존재를 알고 있었음에도 감탄이 절로 나온다. 이 작은 신분증 하나에 저만한 효과가 담겨 있다니.

나는 용병 등록증을 받아 마나를 주입했다.

팟!

용병 등록증이 그대로 영자화(靈子化)되어 내 영혼에 안착하자 그 모습을 지켜보던 현일이 말했다.

"다음 순서로는 나랑 대련이 있는데…… 기가스는 타나?"

"아쉽지만 아니요."

폐급 마나 적성을 치유했지만 기가스는 구할 생각도 하지 않는다. 예전에는 탈 수가 없어서 그랬지만 지금은 탈 필요가 없기 때문이다.

'언제 한 번 어빌리티 확인 정도야 하겠지만 내 몸이 기가스보다 더 튼튼한 상황에서 기가스는 필요가 없지.'

기가스에 타는 순간 내 근력과 생명력은 아무런 의미가 없어진다. 기가스가 파괴된 다음에야 의미를 가지게 되는 것!

"흠 그건 아쉽군. 오랜만에 기가스를 타고 싸워 보나 했는데."

천현일 청장은 과거 테라급 전함의 함장을 역임했을 정도로 뛰어난 기가스 적성을 가지고 있다. 양산 초월병기라 할 수 있는 테라급 전함의 함장이면 성급(星級), 어쩌면 신급(神級) 기가스에 탈 수 있을지도 모른다.

"타고 싸우셔도 됩니다만."

"뭐? 하하하하!"

패기 넘치는 내 말에 현일이 웃는다. 그 웃음에 발끈하는 기색이 전혀 없다. 나보다 머리 몇 개는 더 큰 덩치의 북극곰은 은빛의 눈을 반짝이며 나를 바라보았다.

"그래. 맨몸으로 한 번. 기가스에 타고 한 번 해보지. 때는 언제가 편하지?"

"일정이 좀 있으니 다음 주에 부탁드립니다."

당장도 가능하지만 요새 일이 너무 많아서 초월자로서의 전투에 익숙해지지 않았다. 격에 맞는 상대와의 전투가 필요한 시점이었다.

보통의 초월자는 상대를 구하기가 쉽지 않겠지만……

나는 다르다.

'그래, 슬슬 천원에 가 보긴 해야지.'

솔직히 많이 미뤘다. 이제 전력은 충분하니 망령룡 레플리가 왜 가만히 있는지 알아볼 때가 되었다.

"그래, 그럼 그때를 기대하지."

씩 웃는 현일에게 고개 숙여 인사하고 로비로 내려온다.

"내려왔다! 된 건가?"

"어디 어디…… 떴다! 와! 차크라랑 생체력이 초월?"

"이야, 초월자쯤 되니까 시작부터 특급 용병이네. 임무는 언제부터 뛰지? 같이해 보고 싶다."

로비에 있던 어르신들이 아이처럼 신기해하며 떠들었다.

그들을 바라본다. 솔직히 그들 중에 나와 비견될 만한 강자는 없다. 용병 관리청에 초월자는 천현일 청장뿐이기 때문이다.

그러나 실력이 있다고 싸가지 없이 군다? 그것도 100살 이상의 어르신들에게?

그딴 건 사회생활을 하는 성인의 자세가 아니다.

"안녕하십니까! 새로 등록한 한재연이라고 합니다! 잘 부탁드립니다!"

"오오오! 우리 신입 기운차구만!"

"환영해 초월자!"

"오늘 저녁은 제가 쏩니다! 먹고 죽읍시다!"

"오오오오---!"

어르신들이 환호한다.

그리고 그날 저녁.

회식비로 4,600만 원이 나갔다. 100명도 안 되는 숫자였지만 다들 입이 얼마나 고급인지 싼 메뉴는 거들떠보지도 않는다.

"크흑……."

눈물이 나왔지만 필요한 투자였다. 용병으로 임무를 뛸

때 동료가 될 이들이 바로 그들이었기 때문이다.

딸깍.

원룸으로 돌아온다. 슬슬 새 집을 구해야 하는데 돈이 아까워서 못 그러고 있다.

웅!

PC를 켠다. 최대의 마법 커뮤니티, 마탑넷에 접속한 후 용병 등록증을 작동시켰다.

[특급 용병 등록증이 인증되었습니다. 특급 정보 습득 권한에 따라 마탑 포인트 제한이 사라집니다.]

"좋아."

기다리고 있던 메시지에 웃는다. 나는 [대도서관] 탭과 [지식의 전당] 탭을 켜 두고 말했다.

"로그인."

아르데니아로 들어간다. 그리고 시종들의 안내를 따라 복도를 따라 올라갔다.

"황제 폐하다……!"

"황제 폐하께서 오셨다!"

"모두 조용! 시끄럽게 하지 마!"

무대 위를 오른다.

그렇다. 무대다. 희귀급 건축물, 10,000석 콘서트장의 무대에 나는 올라와 있었다. 무대 뒤편에는 거대한 디스

플레이가 설치되어 있고 그 아래에는 입력용 패드가 자리하고 있다.

"만나서 반갑군. 한재연이다."

내 말에 모두가 멍한 표정으로 무대를 올려다보고 있다. 1만의 좌석이 꽉 차다 못해 앉은 만큼의 숫자.

'이 모든 이들이 마법사란 말이지.'

보기만 해도 흐뭇한 인원을 보며 말했다.

"지금부터 일주일 동안 마법에 대한 모든 질문을 받겠다. 관계없는 질문이나 잡소리는 처벌을 받을 수 있다는 점을 명심하고 마법을 수행하는 데 있어 꼭 필요했거나 막히는 부분에 대해 질문하라."

"……."

"……."

"……."

내 말에도 모든 마법사들은 그저 멍한 표정으로 나를 올려다보고 있을 뿐이다. 뭔가 강의 형식으로 할 줄 알았는데 질문을 하라니 어찌할 줄 몰라 하는 표정.

그리고 그때였다.

"질문 있습니다!"

구석에 서 눈치를 보던, 타오르는듯 붉은 머리칼의 소녀가 손을 번쩍 든다.

모든 마법사가 도끼눈으로 자신을 노려보거나 말거나 나만을 바라보는 소녀.

나는 웃었다.

"그래, 말하라."

"원소 학파의 서클링을 수련 중입니다! 파이어 스피어를 습득 중인데 필요 마력의 30% 이상을 채 운용하기도 전에 주문이 캔슬되고 맙니다! 주문 공식은……."

주절주절 질문을 이어 나가는 레드의 모습에 모두가 뜨악한 표정을 짓는다.

"미, 미친 무슨 저런 질문을 해?"

"아니, 너무 본격적인 질문 아닌가. 전체적인 흐름도 아니고 저렇게 개인적인 문제를 찍어서 물어본다고?"

"스펠 구성이 안 되면 될 때까지 시도해 봐야지 그냥 질문을 하다니……!"

기겁하는 마법사들의 모습을 보니 이 자리에 그녀가 껴 있는 게 정말 다행이라는 생각이 든다. 만일 그녀가 없었으면 한참이나 영양가 없는 질문을 받을 뻔했다.

"아주 좋은 질문이군. 이름이?"

"레드입니다 폐하!"

"그래…… 로그아웃."

지구로 돌아온다. 그리고 마탑넷에 접속해 글을 적는다.

[질문] : 파이어 스피어를 습득 중인데요……

후에 마도대담(魔道對談)이라 불릴 날의 일이었다.

재연이 느끼기에는 Q&A, 아르데니아의 마법사들에겐 전설과 신화의 시간은 빠르게 흘러 일주일이 지났다.

길다면 길고 짧다면 짧은 시간 동안 인류제국의 황제, 한재연은 수많은 마법사가 쏟아 내는 끊임없는 질문에 막힘없이 응답했다.

“매직 미사일의 응축에 마력이 더해지지 않습니다. 정확히 말하자면 필요 마력량이 기하급수적으로 늘어나 감당하기 어렵습니다.”

“거기에는 두 가지, 아니…… 네 가지 방법이 있다. 그 중 첫 번째는…….”

타다닥! 탁!

재연이 패드를 두들기자 무대 뒤편의 대형 디스플레이어에서 몇 가지 수식과 도형들이 떠오른다.

그리고.

사각사각. 사각사각.

1만 명의 마법사들이 동시에 그것을 받아 적는다.

마법 지식에 목말라 하던 그들의 학구열은 너무나 뜨거워 자신과 관계없는 계통의 주문마저 받아 적게 만들었다.

그들 사이에 있던 노마법사는 수식을 받아 적다 눈물까지 흘렸다.

"내가…… 내가 너무 빨리 태어났군……."

"그렇구나…… 이런 이론이 존재할 수 있었구나……!"

"이게 이렇게 하면 되는 것이었다니……!"

마법사들에게, 특히나 예전의 마법계에 대해 알고 있는 마법사들에게 지금 이 강연은 너무나 귀하고 은혜로운 시간이다.

주문 한 줄을 알아내기 위해 수십 년간 스승의 수발을 들고 공식 하나 때문에 부모·형제가 죽고 죽이던 그들에게 황제의 모습은 황금을 뿌리는 것과 같다.

바닥의 황금을 다 줍기 전까진 고개조차 들 수 없다.

"얼음창 서클링에서……."

"패스트 캐스팅은……."

"3클래스에 들어서려는데……."

온갖 질문이 쏟아졌지만 재연은 단 한 번도 머뭇거리거나 망설이지 않았다.

남이 적어 준 걸 읽고 있을 뿐이니 당연한 일이었지만, 마법사들의 시선에는 그렇게 보이지 않았다.

그들에게 있어 그 광경은 단순한 강연이 아닌 압도적인 퍼포먼스에 가까워 보였다.

사각사각. 사각사각.

모든 마법사들이 두꺼운 종이 뭉치에 재연의 답변을 받아 적고 있다.

그뿐이 아니다.

"2번 카메라. 마법사들의 모습을 죽 훑어 주세요."
"네, 하모니 님."
인류제국 최고의 스타로서 10,000석 콘서트장의 구조와 기능을 누구보다 잘 알고 있는 하모니는 콘서트장에 설치된 방송용 카메라(희귀) 10대를 통솔해 방송을 이어 나갔다.

[그래. 그것에 대해 이야기해 볼 수 있겠군. 사령 마법이란 뭘까? 이를 설명하려면 죽음에 대한 명확한 규정이 필요하다.]

일곱 채의 기가스 랜드와는 차별되는 축제와 예술의 도시, 페스티벌 랜드는 성벽이 돌이나 강철이 아닌 디스플레이로 구성되어 있다.
당연히 이는 수성에 단점이 되었지만, 그 대신 이 성벽은 온갖 영상을 재생할 수 있다는 장점이 있었다.
그리고 지금, 그 성벽에 재연의 강연이 비춰지고 있다.
콘서트장에 있는 마법사들만이 아니라 대지성 안의 모든 제국민들이 재연의 강연을 듣고 있다는 말이다.
"오오. 정말 대단하시다. 일주일 동안 잠 한 번 안 주무시고……."
"정말 하늘에 닿을 지식이시다……."
"혼자서 저 많은 마법사를 가르치시다니…… 마법사들

은 하나하나가 대단한 석학이라고 하던데."

일반인들은 재연의 강연을 제대로 이해하지 못했다. 마법적 지식이 없는데 당연한 일이다.

그러나 상관없다.

추리 만화를 볼 때 밀실 트릭을 이해 못해도 재미있게 보는 것이 사람이다. 피겨 스케이팅이 어떤 식으로 진행되는지, 점수가 어떤 기준으로 나는지 하나도 몰라도 세계 대회에 나간 자국 선수의 연기에 감탄하고 똑같이 공을 네 번 던졌는데 어떨 땐 타자가 1루에 가고 어떨 땐 아웃되는 이유를 몰라도 내가 응원하는 투수를 보며 환호할 수 있다는 것을 생각해 보면, 사실 재연의 강연을 보고 감탄하는 데 전문적인 지식은 필요 없다.

온갖 지식을 쏟아 내는 거침없는 말투.

무대에 떠오르는, 뭔지는 잘 모르지만 대단해 보이는 도형과 공식들.

그의 한 마디 한 마디마다 감탄하며 고개를 끄덕이는 수많은 마법사.

그 모습은 황제를 사랑하는 자들의 가슴 가득히 자부심을 채워 넣었다. 엔간한 마약마저도 따라갈 수 없는 충만감을 안겨 주는 것이다.

마법에 대해 모르는 이들조차 그런데 마법사들은 어떻겠는가?

아득할 정도로 드높은 지식.

원래의 아르데니아였다면 수백, 어쩌면 수천 년의 시간이 필요했을 지식의 결정체다. 그 지식을 쏟아 내는 재연이 어떻게 보였을지는 굳이 설명할 필요조차 없다.

슈퍼스타(Super Star).

아이돌(Idol).

재연은, 인류제국의 황제는 이미 그 이상의 존재다.

"다음 질문."

"네! 저는 4클래스 마법사 스마일입니다. 수레바퀴 학파의 주문 중……."

재연은 질문을 들으며 시녀들이 대령한 샌드위치를 꿀떡꿀떡 먹었다. 자리에 어울리지 않는 광경이지만 그 누구도 그에게 항의하지 않는다. 그들에게 한 줌이라도 더 많은 지식을 주기 위해 잠도 자지 않고 먹는 시간까지 아끼는 황제 폐하가 아니던가?

강연이 이어진 시간이 무려 일주일이 넘었다는 걸 생각해 보면 감탄이 나올 정도로 초인적인 행보다. 황제의 모습은 하늘에 닿을 지식과 더불어 끝을 모르는 체력을 가진 것처럼 보였다.

"나도…… 나도 샌드위치를 주게."

"나는 핫도그로……."

황제 본인부터가 강연 중 거침없이 식사하는 만큼 마법사들 역시 각자의 자리에서 시종과 시녀들이 가져다주는 음식을 먹으며 답변을 받아 적었다.

10,000석의 콘서트장답게 접이실 테이블도 있었고, 화장실도 충분히 마련되어 있었기에 강연을 듣는 데 아무런 불편함이 없는 상황.

그러나 그들은 황제 같은 초인이 아녔으므로 한계가 있다.

"H열 117번. 내보내."

"스읍…… 핫! 아닙니다! 안 졸았어요!"

깜짝 놀라 목소리를 높이는 마법사에게 기사가 으르렁거린다.

"조용! 황제 폐하의 강연을 방해할 생각이냐? 고집 피우지 말고 나가서 한숨 자라. 필사를 꼭 여기서만 할 수 있는 건 아니지 않나?"

"그건…… 흑. 네."

잠을 이기지 못하고 조는 마법사가 속출하기 시작하고 기사들은 그들을 발견하는 족족 콘서트장 밖으로 내보냈다.

그리고 그렇게 그들이 나간 자리에는.

"됐다! 드디어 들어왔어."

"오래 기다린 보람이……."

콘서트장 밖에서 기다리던 마법사들로 채워졌다. 일찌감치 쫓겨났다가 잠을 충분히 자고 돌아온 인원들이다.

한편 이제 막 일어나 콘서트장에 돌아온 마법사는 콘서트장 입구에 길게 늘어진 줄을 보고 절망했다.

"으…… 이렇게 많다니……."

최초 최대한 많은 마법사에게 기회를 주기 위해 마련되었던 입석(立席)은 모조리 사라졌다. 종일 서서 필사와 식사를 하다 보면 콘서트장의 복도와 휴계실등이 너저분해지는 데다 하모니의 방송 효과가 생각보다 좋다는 걸 깨달은 재연이 마법사의 숫자를 좌석 수와 딱 맞는 1만 명으로 제한했기 때문이다.

"아니…… 왜 다들 저렇게 줄을 서 있죠?"

"그러게. 받아 적는 거라면 성벽을 보고도 할 수 있지 않나?"

줄을 선 채 재연의 강연을 받아 적고 있는 마법사들의 모습에 제국민들이 수군거린다.

말이야 맞는 말이다.

성벽으로 방송이 되는 이상 꼭 콘서트장에 들어갈 필요가 없다. 어차피 들어가서 듣나 밖에서 듣나 똑같은 내용이 아닌가?

그러나 마법사들은 이를 갈았다.

'한심한 소리를…….'

사람들은 굳이 가수의 노래를 들으러 찾아간다. 굳이 뮤지컬을, 굳이 연극을 비싸고 불편한 자리에 가서 관람하는 건 그리 희귀하지도 않은 일이다.

사실 비효율적인 일이다. 잘 보이지도 않는 거리의 관람석에서 보는 것보다 집구석에서 훌륭한 화질과 음질을 가진 영상을 보는 게 감상 자체에는 더 유리하기 때문. 심지어 그것들은 공짜가 아닌가?

하지만 그럼에도 수만 원, 심하면 수십만 원을 내고 직접 현장으로 가는 사람들이 있다. 마법사들이 바로 그런 마인드였다.

황제의 설명을 직접 듣는다는 영광.

역사에, 아니 어쩌면 전설로 남을지 모르는 현장에 자신이 끼어 있다는 충만감.

그리고 무엇보다 직접 '질문'할 수 있다는 권리까지.

"3,000골드…… 아니, 5,000골드를 주겠네. 자리를 좀 양보해 주지 않겠나?"

"안 되니 딴 데 가서 알아보세요."

"내가 꼭 해야 할 질문이 있어서 그래!"

"저도 있습니다."

"저도 자리 구합니다! 맨 앞 10명 중 양보해 주실 분 있으면 6,000골드!"

"나는 7,000골드!"

쑥덕거리는 마법사들의 모습에 사람들이 어이없어한다.

"와. 줄 서는 자리를 돈 주고……."

"나는 오히려 부럽네. 내가 마법만 부릴 줄 알았으면 나도 들어가 보는 건데……."

강연을 듣기 위해 잔뜩 줄 서 있는 아르데니아의 마법사들.

그리고 지구에서는.

정확히 반대의 상황이 벌어지고 있었다.

↳척척석사 : 자연 마나의 증감을 굳이 설명하자면 곱연산이 아닌 합연산입니다. 따라서 외부 마나 흡수 속도와 서클링 가속을 동시에 수행하면 +40% 효과와 함께 기존 마력의 2.33%씩 끌려오게 되지요. 자연마나와 변이마력을 융합하면 자연마력x변이마력x1.233)/(최대마나의 30%)으로 산출해 주셔야 실계산과 오차 범위가 조금은 줄어들게 됩니다. 이는 에플렘 법칙 때문인데……

↳척척석사 : 그러므로 이때 마력 순환의 속도를 1.7배 가속하는 것으로 서클링 개변을 할 수 있게 됩니다.

기존 서클링을 굳이 파괴하거나 새로 쌓지 않아도 된다는 말이죠!

↳힘법사 : 서클링 완성해 왔습니다! 술식은 첨부하였구요! 기본 원리는 정제(整齊)와 분리(分離)입니다. 최대 마나량이 좀 줄겠지만 대신 더블 스펠이 손쉽게 가능해 질 거예요!

개선판이니 이름은 쌍둥이 거울로…….

아주 어렵고 골치 아픈 질문이었는데 답변이 빠르게 달리다 못해 두 개가 달린다.

재연이야 상관없는 일이었기에 두 개 다 보고 있었지만, 답글들의 당사자들은 그게 아닌 듯 다투기 시작한다.

↳척척석사 : 아니 힘법사님? 지금 뭐 하시는 거예요?

↳힘법사 : ? 왜요?

↳척척석사 : 아니 답변을 왜 하시냐구요. 제가 먼저 답변하고 있었잖아요.

↳힘법사 : ? 아니 님이 먼저 답변 달면 난 답변 달면 안 됨?

↳척척석사 : 그래도 예의가 아니죠. 무엇보다 이렇게 다른 방향성으로 수정하시면 어떻게 해요?

↳힘법사 : 내게 훨 낫구만.

↳척척석사 : …… 뭐라구요?

↳힘법사 : 뭘 뭐라구요임? 마력순환을 가속해서 서클링을 개변하는 게 얼마나 위험한지 모름? 불쌍한 마린이 폐인 만들 일 있음?

↳척척석사 : 아하. 쫄보시구나. 그래서 마나 다 내다 버리는 서클링을 만들었나? 게다가 더블 스펠은 그냥 연습해서 숙달해야지 리소스 잡아먹게 서클링에 추가하다니 ㅉㅉ…….

↳힘법사 : 뭐? 쫄보? 너 어디 학생이야? 아마추어 같은 서클링을 가져와서는…….

↳척척석사 : 뭐 아마추어? 나 박사거든? 이 닉네임 예

전에 지은 거거든? 지식인에서는 등급이 태양신이거든?

↳힘법사 : 아니 너 지식인에서 노니? 진짜 아마추어 아님?

답변자끼리 싸우는 광경에 재연이 난감해했다.

"아니, 왜 이렇게 과열되고 난리야…… 박사급이 붙었다니 고맙긴 한데……."

그런데 그때였다.

↳아리랑 : 응축이 답인 듯합니다! 기존 서클링의 마력을 그대로 두고 여기 이 무지개 거울 수련법을 익혀보세요. 기존의 마력이 응축되면서……

↳척척석사 : 아니? 님은 또 뭐세요?

↳힘법사 : 혹시 닉네임의 아리랑은 아리랑치기의 아리랑임? 어디서 슬그머니 튀어나옴?

↳흑염마법사 : 아니, 왜 이리 사람 많아. 내가 그 쓰레기 서클링을 개쩌는 서클링으로 재탄생 시켰으니까 이거 익혀라. 이름하여! 프리즘 거울 서클링!

↳척척석사 : 아니, 이게 뭔…….

↳흑염마법사 : 아 다 꺼져! 내가 고친 게 최고라니까?

↳아리랑 : 내가, 내가 답변할 거야……!

수많은 마법사가……

줄을 서서 나를 가르치려 들고 있었다.

“설마 이 정도일 줄이야.”

마탑넷의 반응이 뜨거워질 수도 있을 거라는 예상은 어느 정도 하고 있었다. 단순히 34지구에 마법사가 많아서가 아니라, 내가 올리는 질문들에 담긴 정성과 현장감 때문이다.

↳질문자 : 알려 주신 대로 했는데 안압(眼壓)이 올라가 서클링을 정지했습니다ㅜ_ㅜ 제 자질이 문제인 걸까요?

↳힘법사 : 뭐? 안압? 눈 충혈?

↳흑염룡 : 킁킁……! 어디서 야 한 냄새가…….

↳척척석사 : 마혈안(魔血眼)이라는 증상입니다! 서클링 구성에 오류가 있을 때 간혹 발생하는 데요! 마력으로 인해 발생한 압력이……

↳흑염룡 : 와. 마혈안이 온다는 건 리얼 생뉴비라는 뜻 아닌가? 성인 이민자에, 마법 처음 배운 사람이 마탑넷까지 찾아오다니…….

성의 없게 덩그러니 올린 질문은 한가한 마법사가 아무리 많은 마탑넷에서조차 무시당하기 마련이었지만, 아르데니아의 마법사들이 느끼는 고통과 고민, 그리고 밤잠을 설치며 고민하던 생생한 질문은 설명하길 좋아하는 34지구의 마법사들을 흥분시켰다.

수준도 중요하다.

만약 내 질문들이 5클래스 이상의 상위 마법이었다면 아무리 34지구에 마법사가 많아도 답변할 수 있는 이는 몇 명으로 한정되었을 것이다. 마법사가 50억 명이나 된다지만 그중 태반이 패스트 쓰리 학파인 까닭.

그러나 지금 내가 올리는 질문들은 어떠한가?

'태반이 1에서 3클래스 마법.'

그리고 34지구는 이 초급 마법이 전 우주에서 가장 많이 발전한 곳이다.

마법의 본고장이라는 우로보로스?

안타깝겠지만 우로보로스조차 34지구만큼 많은 하위 마법사를 데리고 있지는 못하다. 초월자마저 학생으로 들어올 수 있는 위대한 마법의 요람에서 하위 마법을 집요하게 연구할 일이 뭐가 있겠는가?

실제로 패스트 쓰리 학파 또한 34지구에서 만들어졌다. 아무나 익히고 있지만, 패스트 쓰리 마법은 대마법사가 수백만 이상의 표본을 대상으로 만들어진 뛰어난 마법 체계인 것이다.

"저, 저는, 빅 헤드라고 합니다. 폐하. 이 공허 마법을 다루는 학파 중에서……."

[질문] : 공허 마법을 수련하고 싶습니다. 3대장 학파 중 어디가 저랑 잘 맞을까요?

"황금마탑의 사루만 하이 매직입니다. 폐하. 3일 전 다면체 학파의 서클링으로 전환을 수행했습니다. 마나 결정의 형태가 삼각에서 고정되어……."

[질문] : 알려 주신 다면체 학파 서클으로 전환을 완료했습니다! 그런데 마나 결정이…….

질문을 듣고, 그것을 질문글로 올린다.

답변을 읽고, 그것을 말로 풀어 준다.

"으으…… 머리 깨지겠네…… 옮겨 말하는 것만으로도 이런 난이도라니."

나는 마법 역시 입문 수준까지는 배워 봤다.

마법을 선호해서가 아니라 제대로 익힐 수 있는 이능이 없어서 한 번 건드려 본 수준에 불과하지만. 어쨌든 마법에 대한 기초 상식은 가지고 있는 상태.

그러나 당연하지만.

그거론 부족하다.

"아, 이제 초월자인데 초급 마법을 공부해야 한다니……."

투덜거리며 마탑넷의 [대도서관] 탭을 열어 마법 지식을 공부한다. 아르데니아의 마법사들은 34지구에 질문을 올릴 최소한의 지식도 모자란 경우가 태반이었기에 그 모자란 부분은 내가 스스로 채워야 했다.

문제는 그뿐이 아니다.

'마법사들이 이해 못하는 이론과 공식이 너무 많다.'

이미 [마법의 기초]와 [마도 정석] 등의 기초 서적들을 필사해서 뿌렸지만, 안타깝게도 책만 보고 모든 걸 이해할 수 있는 인간은 그리 많지 않다.

당연히 관련 질문이 있었고 나는 실수하지 않기 위해 공식과 이론들을 읽고, 읽고 또 읽어야 했다.

만약 내가 답변 중 [오해]를 부를 수 있는 실수를 한다면, 그것은 단순한 실수가 아닌 [황제의 말씀]이 되어 마법계에 두고두고 엄청난 악영향을 끼칠 게 뻔했기 때문이다.

[질문] : **애플렘 법칙 이 부분이 잘 이해가 안 되는데요…….**

[질문] : **멜버른 체계 이런 이렇게 이해하는 게 맞나요?**

[질문] : **패스트 쓰리 효율성에 대한 질문입니다.**

어차피 아르데니아에서 강연을 이어 나가고 있어 필사할 수 없는 상황이었기에 잠자는 시간, 화장실을 가는 시간을 제외한 하루 전부를 공부와 질문에 쏟아부을 수 있었다.

그렇게 보름 정도의 시간이 흘렀을 때.

웅!

내 내면에 새로운 [요소]가 만들어졌다.

"마법인가…… 뭐, 나쁘지 않겠지."

보통의 차크라 수련자였다면 굳이 열지 않았겠지만, 차크라 용량이 남아도는 난 그냥 열어 버린다. 심지어 이번에는 굳이 착점들을 이용할 필요도 없었다.

내 차크라 용량은 이미 9층.

실력이 능력을 못 따라가는 상태니 굳이 몇 개 남지도 않은 착점을 차지할 필요는 없다.

끼익!

문이 열리는 것 같은 감각.

요소, [마법]은 제1문을 넘어 제2문 중문(重門)에 도달했다.

단번에 5문을 넘어섰던 무공과는 상황이 다르다. 오랜 시간 동안 끝없이 궁구하고 치열한 전투로 단련했던 무공과 달리 마법은 얼마간 공부하고 질문과 답변을 전달한 게 전부이기 때문이다. 오히려 이 정도의 [앎]으로 2문까지 도달한 게 신기할 정도.

"야!"

그때 드레스를 입은 작은 소녀가 버럭 소리를 지르며 등장한다. 나는 태연히 답했다.

"아빠 바쁘다."

"누가 아빠야 누가! 아니 나 같이 강력한 마검을 얻었으면 당연히 싸우고 다녀야 하는 거 아냐?"

"지금 싸우고 있잖아."

"싸우다니? 종이 쪼가리만 읽고 있잖아!"

"이게 어른의 싸움이지. 노동과 공부야말로 현실에 대한 투쟁."

"……?"

잠시 어리둥절한 표정을 짓고 있던 히페리온이 자신을 바보 취급한다고 생각한 듯 얼굴을 찌푸린다.

"나가자고! 나를 들고 싸워! 감히! 감히-."

히페리온의 자그마한 몸이 삽시간에 부풀어 오른다.

[감히 나를 놀려------!?]

고고고!

커다란 덩치를 가진 암흑의 거인이 소리친다. 지평선이 보일 정도로 넓디넓은 평원에서도 그 존재감이 뚜렷할 정도의 거인.

로그인&로그아웃 능력이 없으면 이기기 힘들 정도로 강대한 괴물이었으나 나는 태평하게 말했다.

"확실히 마검은 성격이 더럽단 말이지. 대하 님 말대로 성검이 좋겠다."

슈슈슉.

단박에 거대한 몸이 쪼그라들어 소녀의 모습으로 변한다. 그 모습을 보며 나는 태연히 물었다.

"왜? 더 난장 치지."

"……왜, 왜 그렇게 정 없게 이야기해? 진짜 부를 건 아니지?"

"……."

"아, 아니죠?"

언급만 했을 뿐인데, 덜덜 떤다. 그녀가 게임 마스터를 얼마나 무서워하는지 알 수 있는 광경이다. 그냥 잠깐 봤을 뿐인데 대체 어떤 느낌을 받은 것일까?

그녀가 너무 겁에 질려 있었기에 적당히 달래 주었다.

"조만간 사냥 갈 거니까 그때까지만 참아."

"맨날 조만간이라고 하고…… 아니, 근데 너 그런 신? 마왕? 괴물? 하여튼 그런 거하고 어떻게 친분이 있는 거야? 무섭지도 않아?"

"잘해 주는데 무서워할 필요가 없지."

대충 넘기고 내면세계에서 빠져나와 Q&A 시간을 이어 나간다.

마법 요소를 열었지만 달라진 건 전혀 없다. 차크라는 내게 마법적 능력을 부여하지 마법에 대한 지식을 늘려 주지는 않기 때문이다.

그리고 아르데니아에서 열흘째.

지구에서는 이십 일의 시간이 지났을 때.

"질문 유형이 반복되는군."

나는 마법사의 질문을 끊었다.

"여기까지 하도록 하지. 그동안 모두들 수고했다."

갑작스런 종료 선언에 마법사들이 입을 벌린 채 나를 올려다본다. 마치 꿈에서 깨어나기라도 한 듯 멍한 표정.

그러나 잠시 후.

짝. 짝.

하나둘 박수를 치기 시작하더니.

짝짝! 짝짝짝!

그 박수가 점점 거세진다.

"감사합니다!"

"수고하셨습니다!"

"와아아아아----!"

박수와 환호가 쏟아진다. 1만의 마법사들이 나를 보며 열광하고 있다. 언뜻 보면 수업을 끝내서 좋아하는 게 아닌가 하는 생각이 들 정도.

그러나 감격에 벅차 있으면서도 아쉬움이 가득한 그들의 얼굴을 보아하니 그런 느낌은 아닌 모양이다.

"뭐 그래. 모두들 수고했다. 다들 돌아가서 푹 쉬고. 앞으로도 더욱 정진하도록 해라."

더없이 불친절한 인사였지만 모두 콘서트장이 터져 나가도록 소리를 지르고 손뼉을 쳐 댔다. 나는 손을 적당히 흔들어 주고 무대 아래로 내려왔다.

"딜리트 키에서 손 떼 멍청아! 너 그거 잘못 지우면 마법사들한테 살해당한다!"

"디, 딜리트 키가 뭔데요? 저 이거 잘 모르겠어요!"

"아니, 마법도 배우고 있다는 녀석이 왜 이렇게 머리가 나빠! 저리 비켜!"

무대 뒤편에 있는 대형 디스플레이어 앞에서 하모니가 영상을 편집하고 있다.

"……재주도 좋군. 누가 가르쳐 준 사람도 없을 텐데."

"아, 폐하! 수고하셨습니다!"

"어, 그래. 영상을 합치고 있는 건가?"

"지금 이대로는 열흘치 영상이지 않습니까? 여기 이 기계가 놀랍게도 필요 없는 부분을 잘라서 붙일 수 있더군요! 잘만 만들면 제 콘서트 영상보다도 훨씬 반응이 좋을 것 같습니다! 페이스가 괜찮은 마법사가 중간에 설명을 덧붙이면……."

"그, 그래 수고해라."

예전부터 느끼는 거지만 하모니 이 녀석은 여러모로 중세사람 같지가 않다. 당장 현대에 던져도 어렵지 않게 적응할 것 같은 느낌이랄까.

띵!

길드 타워로 돌아가 플라워의 방으로 향한다.

"플라워는?"

"빠르게 배가 불러오고 있습니다. 궁중 출신의 산모의 말에 의하면 빠르면 두 달째에도 아이가 태어날 수 있다고 합니다."

"항상 대비시켜 놓고."

"네, 폐하."

나는 플라워의 방으로 들어갔다. 완전히 홀쭉히 말라 있던 얼마 전보다는 살이 올라 있지만 그 이상으로 피곤에 절어 있는 플라워의 모습이 보인다.

"플라워."

"폐하! 수고하셨습니다. 열흘씩이나 강연을 하시다니……."

그녀의 말에 창밖을 보니 성벽에 비친 거대한 내 얼굴이 보인다.

"아주 난리군."

어차피 지구에서도 여기저기 얼굴 팔리는 상황이지만 빌딩보다 커다란 내 모습을 보는 건 역시 여러모로 고역이다.

"홀린 듯 성벽을 보는 사람들이 많아졌습니다. 아마 오늘 이후로 마법사를 희망하는 이들이 늘어나겠지요."

"뭐, 좋은 일이지."

나는 잠시 플라워 옆에 앉아서 그녀와 담소를 나누었다.

"몸은 좀 어때?"

"확실히 음식을 많이 먹으니 좀 나아졌습니다. 폐하. 살도 확실히 올랐고……."

그러나 저번보다 조금 나은 정도로 여전히 바짝 말라 있다. 심지어 배 속의 아이는 점점 자라고 있으니 필요한 열량은 점점 많아질 텐데……. 그녀가 끝까지 그것을 감당할 수 있을까?

'어쩌면…… 명예신의 사제 자리를 받아야 할지도 모르겠군.'

그렇게 생각하며 플라워와 적당히 대화하다가 방으로 돌아온다.

"바로 필사를 시작해 한 푼이라도 더 벌고 싶지만……."

그러나 주식이 아무리 급하더라도 그럴 수는 없다. Q&A에 생각보다 많은 시간이 소모되는 바람에 천현일 소장과의 대련이 너무 밀려 버렸기 때문이다.

전화로 양해를 구하긴 했지만 더 미룰 수는 없다.

"그래. 슬슬 가 봐야지."

천원(天元).

바둑판의 정중앙을 가리키는 그 단어는, 아르데니아 최강의 괴물이 잠들어 있는 장소다.

"확인도 해 봐야 할 테고."

몇 번 그 위를 날아서 지나간 적은 있지만, 그럼에도 상황을 파악할 수는 없었다.

'애초에 녀석들은 던전 밖으로 나오지도 않았으니까.'

천원에는 그저 중립 던전이 자리하고 있을 뿐이다. 하늘까지 솟구친 빛의 기둥 주변에는 그 어떤 감시의 눈도 없다.

간혹 천원 주변의 전설급 몬스터들이 그 안으로 쳐들어가곤 했지만…… 아무도 돌아오지 못했다.

쿵!

던전 앞에 내려선다.

아르데니아 유일의 신화급 던전이니만큼 행운 셋 대신 전투용 전설 9강 장비로 무장한 상황.

"파밍 장비는…… 이거 하나면 되겠지."

마검 히페리온을 잡아든다. [금빛 중첩]이 5개나 걸려 있는 명실상부 최고의 파밍 무기.

[오! 드디어 싸우는 거야!?]

흥분하는 히페리온을 진정시킨다.

"그래. 일단 들어가면 조용히."

귀환 주문서는 얼마든지 있지만 안의 상황이 어떨지 알 수 없으니 조심해야 한다. 신화급 적. 그러니까 초월자급의 몬스터들이 뭘 할 수 있을지는 나도 명확히 알 수 없다.

'하지만 적어도…… 내가 죽을 일은 없겠지.'

999스텟의 생명력과 회복력. 그리고 로그인&로그아웃 능력을 생각해 보면 솔직히 지금의 난 불사신에 가까운 존재.

들어가자마자 망령룡 레플리가 궁극 마법을 갈겨 봉인시킨 후 생명력을 갈취하는 정도의 상황이 아닌 이상 빠져나올 수 있을 것이다.

팟!

그대로 빛의 기둥 안으로 들어간다.

[죽음의 신전]

나타났다 사라지는 것은 뻔하디뻔한 지역명.

'아니.'

그러나 드러난 광경은 전혀 뻔하지 않았다.

'이게 뭐야……?

가볍게 입을 열어 몇 마디 말해 보았지만 그 소리는 대기 중으로 퍼져 나가지 못한다.

왜냐하면, 이곳이 대기라는 게 존재하지 않는 장소였기 때문이다.

'우주…… 인가?'

정확히 말하자면 대기가 없는 위성(衛星)이다. 지구로 예로 들자면 달이라고 할 수 있다.

'아니…… 갑자기 스케일이?'

고개를 들어 올려다본 하늘에는 거대한 [세상]이 펼쳐져 있다.

아르데니아 같은 작은 세상과는 비교조차 할 수 없는, 아니 심지어 지구와도 비교할 수 없는 세상.

'아…… 미친…….'

나는 회색빛 땅 위에 서서 멍하니 그 세상을 바라보았다.

만일 내가 평범한 인간이었다면 그저 '저 멀리 행성이 있구나.'하는 식으로 이해하겠지만, 초인적인 지각 능력은 그 세상의 규모와 이곳과의 거리를 대략적이나마 파악할 수 있었다.

'너무 크잖아…….'

그렇다. 저 멀리 보이는 [행성]은.

[태양]보다도 거대했다.

[침입자]

그때 묵직한 정신파가 찌르듯 내 의식에 파고들었다. 고개를 돌리자 회색의 의복을 입은 해골 하나가 보인다.

엘더 스켈레톤(신화).

'나왔군.'

신화급 일반 몬스터. 내가 히페리온을 뽑아 들자 녀석이 떠들었다.

[뭐야. 고작 별 볼 일 없는 스켈레톤 하나잖아?]

그녀의 말대로 별 볼 일 없는 모습이다. 키도 170센티미터 정도에 불과하고 별다른 무장도 없다. 걸치고 있는 옷도 누더기에 불과한 천옷.

그러나.

팟.

녀석의 공격을, 나는 인지조차 하지 못했다.

꿍---!

소리 없는 충격파에 흙먼지가 일었다. 맞지는 않았다.

녀석의 공격은 너무나 빨라 지금 내 민첩으로는 인지할 수 없을 정도였지만, 불가해한 전투 예지의 힘으로 공격당하는 상황 피할 수 있었던 것이다.

쩡--! 쩡--! 쩡---!

한순간에 수십 번의 공방이 오간다. 볼품없는 외형, 무식해 보이는 전투 방식에도 적은 만만치 않다.

'썩어도 신화급이라 이거군……!'

어이없게도 녀석은 자신의 왼팔을 뽑아 곤봉처럼 휘두르고 있었다. 왼쪽 상체의 방어가 완전히 비어 버리는 머저리 같은 전투법이었는데 그럼에도 그 속도와 힘이 예사롭지 않아 파고들 틈이 나오지 않는다.

만약 이 정도 전력의 괴물이 아르데니아로 쳐들어온다면, 그 숫자가 다섯만 되어도 신화급 성이고 뭐고 삽시간에 화점이 전멸해 버리고 말 것이다.

'하지만…… 멍청하다.'

일례로, 녀석의 전투 패턴은 너무나 단순하다.

쿵-!

묵직한 울림과 함께 뼈와 검이 얽인다.

나는 히페리온을 몸에 바짝 붙인 채로 몸을 밀어붙였다.

중요한 건 자세.

녀석들의 힘이 불가사의할 정도의 보정을 받고 있다 해도 내 힘 역시 만만치 않다. 그 상황에서 녀석의 팔을 받침점, 히페리온을 작용점 삼아 죽 밀어내자 너무나 쉽게 검이 뼈를 밀어내고 그 안으로 파고들었다.

[침입자!]

엘더 스켈레톤은 몸이 기울어 버리자 아예 방어를 포기하고 내 몸을 붙잡았고 그에 따라 녀석의 몸을 휘돌던 암흑의 기운이 내 피부 위에 달라붙는다.

그대로 내 몸을 뜯어 버리려는 수작이지만…… 우주 전함의 외장갑보다 튼튼한 육신을 어찌하지는 못했다.

결국, 녀석의 발악은 완전한 빈틈을 드러냈을 뿐. 나는 그 앞에서 강하게 근육을 당겼다.

콰득.

히페리온의 폼멜이 녀석의 두개골을 부숴 버린다.

[레벨 업!]

"오! 한방!"

순간 엄청난 경험치가 들어오고 한동안 정체 상태였던 레벨이 오른다. 신화급의 적이었기에 좀 더 길어지는 상황을 예상했던 나로서는 웃음이 절로 나올 상황.

그러나 떨어진 아이템을 보자 절로 표정이 굳어진다.

[최상급 생명력 포션]

"아니, 미친."

절로 욕이 나온다. 금빛 중첩이 5개나 걸려 있는 히페리온으로 잡았는데 뭐 이딴 게 떨어진단 말인가? 그나마 7만 8천 골드로 금화는 많이 떨어졌지만, 어차피 남아 도는 게 골드니 별 의미 없는 일이다.

'그래도 생각보다 쉬웠다. 무엇보다…… 딱히 검강이나, 천지검을 쓰지도 않았는데 한 방에 죽은 게 고무적이야.'

명성대로 형편없는 드랍률이지만 그거야 많이 잡아서 해결하면 될 일이고 엘리트나 보스급 적을 사냥하게 된다면…….

그때였다.

[침입자.]

[침입자.]

[침입자.]

[침입자.]

전투의 기척을 파악한 듯 사방에서 엘더 스켈레톤들이 몰려온다.

나는 당황하지 않았다. 충분히 예상했고 또 기다리던 상황이었다.

"로그아웃."

공기가 없는 세상에서 내 말은 주변에 퍼져 나가지 못했지만 상관없다. 말만 할 수 있으면 그만이니까.

팟!

원룸으로 돌아와 수인을 맺는다. 몇 개의 술식을 장전하고 내공을 운기했다.

웅.

대기(大器) 안에서 솟구치는 15년치의 내공. 아직 별거 아닌 양이지만 상관없다.

요소, [무공]의 힘이 상태창의 마나를 내공으로 바꿔 힘을 더했기 때문이다.

"이름은 뭐로 할까…… 모든 걸 담은 일격필살이니 심플하게 일심으로 하자."

한재연이라는 인간 고유의 검세. 일심(一心)은 검을 잡지 않은 채로 시작한다.

침대에 가부좌를 틀고 앉아 30분간 운기행공.

가용할 수 있는 모든 내력을 고유식에 특화시킨 후 다시 10분 동안 명상해 그 기운을 가다듬는다.

그 상태에서.

"로그인."

아르데니아로 들어간다. 그리고 몰려드는 이백 마리의 엘더 스켈레톤 중 가장 앞에 있는 녀석에게 달려들었다.

팟!

이번 역시 인지조차 하지 못할 쾌속의 몽둥이 찜질이 떨어져 내린다.

나는 그것이 내 머리통을 떨어져 내리는 모습을 예지한 뒤.

"강기(剛氣)."
신화 스킬을 발동한 후.

대기만성(大器晩成). 고유식.
일심(一心).

모든 내력을 때려 박은 데다가……!

[천검-백인참(百人斬)]&[천지를 가르는 검]

클래스 스킬을 발동한 후.

냉기(冷氣). 광(光). 목(木). 풍(風). 화(火). 토(土). 독(毒). 뇌(雷).
현문(賢門). 개방(開放).
속성공격(屬性攻擊). 8중첩(八重疊).

차크라까지 터트렸다.
준비 시간만 1시간 20분이 걸리는 미친 연계다. 내가 발휘할 수 있는 모든 능력을 때려 넣은 일격!
쿵!
엘더 스켈레톤의 왼팔이 곤봉처럼 내 골통을 때림과 동시에 히페리온이 녀석의 두개골을 쳤다.

'윽……!'

무방비로 신화급 적의 공격을 받은 만큼 머리가 쿵 하고 울린다.

그러나 생명력 999의 강도를 가진 내 머리는 그 엄청난 타격을 문제없이 견뎌 냈고.

쩍!

엘더 스켈레톤의 두개골은 그러지 못했다.

"됐어!"

소리쳤지만, 결과는 뜻밖이었다.

우당탕!

백에 달하는 스켈레톤이 바닥을 구른다. 문제는, 내 검에 맞은 한 놈. 그리고 바로 그 뒤에 있는 한 놈까지만 머리가 쪼개져 아이템을 떨구고 나머지 98마리의 엘더 스켈레톤은 죽지 않았다는 것이다.

물론 타격이 전혀 없는 것은 아니어서 쓰러진 녀석들의 두개골에 금이 잔뜩 간 모습이 보였지만, 문제는 녀석들이 죽지 않아 천지검의 데미지 전파가 일어나지 않았다는 것.

그리고 그렇게 쓰러진 엘더 스켈레톤 너머로.

[공격.]

[공격.]

[공격.]

[공격.]

그보다 더 많은 수의 적들이 몰려온다.

'아니, 왜?'

경악하면서도 바닥에 떨어져 있는 엘더 스켈레톤의 상완골(전설)을 주섬주섬 챙겨 든다. 그것을 막 인벤토리에 넣는 순간 적들의 공격이 쏟아졌다.

쾅! 쩡! 콰득!

쳐 내고 맞받아치고 붙잡아 부순다.

엘더 스켈레톤들의 전투법은 조잡했지만, 근육 하나 없는 주제에 어마어마한 괴력을 가지고 있다.

녀석들의 뼈를 맴도는 암흑의 기운이 그들에게 초월적인 힘을 부여하는 것!

그러나 가장 큰 문제는 속도다.

꿍!

전투 예지로 모든 공세를 훤히 보고 있음에도 대처하기 버겁다.

한 손으로 여러 손을 감당하기 어려운 것은 예로부터 이어져 내려온 상식.

나는 엘더 스켈레톤 셋을 더 박살 냈지만, 그 대신 녀석들에게 흠씬 두들겨 맞아야 했다.

"로그아웃! 하후! 후우…… 으아!"

지칠 때마다 지구로 돌아와 휴식을 취한다.

극의지체를 완성한 내 체력은 그야말로 초인적이지만, 그 정도로는 초월적인 근력의 소모를 감당할 수 없다.

로그인&로그아웃 능력이 없었다면 10분도 못 버티고 몽둥이찜질 속에서 죽었을지 모른다.

"아니, 이게 뭐야…… 너무 세잖아?"

일대일 싸웠을 때는 비교적 손쉽게 이겼는데 다수전에 들어가니 상황이 전혀 달라졌다.

무엇보다 백인참과 천지검이 안 먹힌다는 점이 너무나 크다.

"아예 작동을 안 하는 것 같지는 않은데……."

실제로 100명의 엘더 스켈레톤들이 머리에 타격을 받고 바닥을 굴렀다.

문제는 즉사한 최초의 한 마리와 그 녀석의 데미지를 전달받은 또 한 마리와 달리 98마리는 타격을 받았을지언정 무사했다는 것.

나는 그 이유를 알기 위해 잠깐의 휴식 후 움직였다.

"로그인."

"로그아웃."

"로그인."

지구와 아르데니아를 오가며 전투를 이어 나간다. 그 와중에 세 마리의 엘더 스켈레톤을 추가로 쓰러트렸지만.

나 역시 많이 맞았다.

주륵.

"후……."

정통으로 팔뼈에 얻어맞는 바람에 코뼈가 부러지고 피가 흘렀다.

뿌득.

물론 부상은 잠깐일 뿐 곧 부러졌던 뼈가 저절로 맞춰지고 흘러내리던 피가 시간을 거꾸로 돌리듯 날아올라 코 안으로 빨려 들어간다.

"이제 알겠네."

나는 인벤토리에서 히페리온을 꺼내 들었다.

[마검. 히페리온(22레벨)]

물리 계수 6.2

마나 계수 7.3

[황도 12궁(黃道十二宮)(에픽)]

[마검혼(魔劍魂)(에픽)]

[금빛 중첩], [금빛 중첩], [금빛 중첩], [금빛 중첩], [금빛 중첩].

다시 봐도 화려한 아이템 설명이다. 에픽 등급의 특성 2개에 5개의 소켓.

"하지만 제일 사기가 따로 있었군."

그렇다. 진짜는 따로 있었다. 다만 문제가 있다면.

"그 사기. 그러니까 계수가…… 백인참이나 천지검에 적용되지 않는 거였어."

계수(係數)란 보통 식 앞에 곱해지는 상수를 말한다. 즉, 물리 계수 6.2라는 것은 물리 데미지가 6.2배 강화된다는 뜻이다.

차크라 술식을 외우고, 30분 동안 운기행공 하고, 신화급 스킬 검강을 더하고…….

다 무의미한 짓이다. 허무한 똥꼬쑈였다.

초월적인 내 근력이 6.2배. 아니, 심검합일의 힘에 의해 12.4배 증가했기 때문이다.

"아니, 그냥…… 그냥 때리는 게 더 세다고?"

어이없었지만 그게 사실이다. 무공 요소는 초월의 경지에 이르지 못했고 대기에 놀라운 생체기관이지만 그래봐야 차오른 내공은 15년에 불과하다.

속성 공격 8중첩 역시 실로 화려하고 놀라운 기예지만 그래 봐야 현문. 그러니까 마스터급에 불과한 경지의 공격이 아니던가?

그냥 바짝 붙어 폼멜로 머리를 때렸을 때 엘더 스켈레톤의 머리가 박살 난 것은, 녀석이 신화급 치고 무른 머리통을 가져서가 아니라…… 12.4배로 증폭된 물리력이 끔찍할 정도로 강하기 때문이다.

그냥 게임에서도 데미지 12%를 올라간다면 직업도 갈아치우는 판국에 12%도 아니고 12배라니……. 그야말로 미친 수준이라고밖에 할 말이 없었다.

"이렇게 되면 전투 방식을 새로 고민해 봐야겠는데."

물론 그렇다고 완전 물리 몰빵으로 가면 큰일 난다. 적들 중 물리 저항이나 물리 면역을 달고 나오는 놈들이 있을 수도 있기 때문이다.

"로그인."

아르데니아로 넘어간다.

쾅! 쩡! 콰득!

나는 조금 더 본격적으로 육신을 이용해 싸웠다. 쳐 내고 맞받아치고 붙잡아 부수는 야만스러운 전투.

스스로를 한계까지 몰아넣는 만족스러운 전투였지만 아쉽게도 계속 이어 갈 수는 없었다.

[침입자.]

[침입자.]

[침입자.]

[침입자.]

"아, 그만……."

엘더 스켈레톤이 점점 늘어난다. 내가 적을 쓰러트리는 것 보다 몰려오는 속도가 훨씬 빠르니 어느새 수백 마리도 넘는 신화급 몬스터들이 쌓이게 된 것!

그뿐이 아니다.

[침입자 확인. 배제하겠습니다.]

[흐! 재미있어 보이는 녀석이로구나!]

루나 데스 나이트(신화) 남궁현아와 데몬 리치(신화) 사루만 같은 엘리트 몬스터들이 튀어나오기 시작한다.

아무리 내 생명력과 회복력이 좋아도, 또 로그인 로그아웃 능력이 있다 해도…… 여기에서 계속 버티면 그 끝은 죽음뿐이리라.

"하."

나는 슬쩍 고개를 돌려 저 멀리 보이는 거대한 행성을 바라보았다.

마음 같아서는 저 장소가 대체 뭘 하는 곳인지 알고 싶지만…… 지금 내 능력으로는 이 위성을 벗어나가기 쉽지 않을 듯하다.

굳이 땅을 박차 날아올라 볼 필요조차 없었다.

'이 위성과 저 행성의 차원이 명확히 구분되어 있는 게 느껴지니까.'

아무래도 저곳으로 가길 원한다면 어떻게든 이 위성을 평정해야 할 듯했다.

이제 남은 것은 가장 중요한 문제.

쾅!

땅을 박차 달려드는 신화급 몬스터들을 피하며 인벤토리에 손을 넣었다. 그리고 그대로.

팟!

대지성에 도착한다. 나는 안도의 한숨을 내쉬었다.

"휴. 혹시 안 써질까 불안했는데 다행이네."

"오! 귀환 스크롤 사용은 오랜만에 보…… 으앗!? 황제 폐하!"

“황제 폐하다!”

“폐하! 오오…… 이렇게 가까이에서……!”

깜짝 놀라 고개를 숙이는 제국민들에게 적당히 손을 흔들어 주고 한 걸음에 길드 타워로 뛰어오른다.

바로 그때였다.

〈빛의 성에서 에드워드님이 팔라딘(영웅)을 획득하였습니다!〉

별로 화려하지 않은 전체 공지가 한순간 떴다가 사라진다.

리벤지의 시스템이 그 상황을 흔하고 별것 아닌 것으로 평가했다는 의미지만 과금이 전혀 없는 아르데니아에서 그것은 희귀, 영웅급 아이템 드랍보다 더 큰 의미를 지닌다.

“설마 드랍은 아닐 테고…… 클래스 합성으로 영웅급을 얻었다?”

물론 클래스 합성 정도는 충분히 있을 수 있는 일이다. 길드의 숫자가 충분히 많아지고 클래스 카드가 쌓이기 시작하면서 합성을 하는 이들 역시 생겨나는 상황이었기 때문이다.

문제는, 획득한 클래스 카드의 종류와, 그것을 얻은 사람이었다.

“……말이 되나?”

인류제국 전체를 뒤져도 영웅 클래스를 가진 이는 30명이 되지 않는다. 사람들이 슬슬 합성을 돌리는 상황이라 해도 모두가 무과금인 아르데니아에서 아무나 영웅 클래스를 얻을 수는 없다는 말이다.

막말로 에드워드가 무슨 돈이 있어 희귀 클래스 합성을 돌린단 말인가? 하물며 그렇게 합성한 결과가 하필 팔라딘이라고?

"한 번 가서 확인이라도 해 봐야 하나?"

그렇게 생각할 때였다.

"폐하!"

옥상 문이 열리고 시녀 하나가 뛰어온다. 나름대로 클래스도 가지고 있을 그녀의 가쁜 호흡은 얼마나 서둘러 계단을 올랐는지를 알려 준다.

"무슨 일이지?"

내 물음에 시녀가 답한다.

"헉헉…… 사, 산통이 시작되었습니다!"

"……가자."

즉시 계단을 내려가기 시작한다.

'역시 빠르군.'

일반적인 인간의 출산 속도가 아니다. 이쯤 되면 출산이 정상적으로 진행될 수 있을지부터 걱정해야 하리라.

"윽……."

플라워의 방에 도착하자 신음이 들린다. 당장이라도 숨

이 끊어질 듯 가녀린 목소리.

"그레이트 힐!"

"그레이트 힐!"

"그레이트 힐!"

그녀의 주위에서는 스무 명도 넘는 사제들이 끝도 없이 치유 주문을 쏟아 내고 있었지만, 그걸로도 플라워의 상태를 유지조차 하지 못했다.

"차라리 빨리 아이를 받아! 플라워 님이 못 견디겠어……!"

"안 됩니다! 나오지 않아요! 아, 아이가 마지막으로 마나와 영양분을 빨아들이고 있어요!"

"이런 젠장! 제왕절개를 해서 억지로 빼내기라도 해!"

의사와 사제들이 고함을 지르며 발을 동동 굴렀지만, 그것으로 상황을 해결할 수는 없다.

"플라워."

"폐하…… 폐하……."

전보다도 훨씬 말라 피골이 상접한 플라워가 내 손을 잡는다. 평소와 달리 창백한 그녀의 얼굴은 각질이 일어날 정도로 메말라 있다.

이제 와서는 식사로 해결될 문제가 아니다. 소화할 힘도 없고 배 속의 아이가 한결 더 심하게 그녀의 영양분을 빨아들이고 있는 상태.

"폐하. 호, 혹시라도 선택의 순간이 온다면……."

그때 플라워가 조금의 힘도 느껴지지 않는 손으로 나를

붙잡는다.

"반드시…… 반드시 아이를……."

거기까지 말하고 눈을 감는다. 죽은 것은 아니고 의식을 잃은 상태.

"……."

가만히 그녀를 내려다본다. 그녀를 여자로 인식한 것은 정말 최근이다. 당연한 것이, 나는 그녀를 아이일 때 거두어 들였기 때문이다.

'이런 모습이…… 여러모로 낯설군. 솔직히 내 아이가 태어난다는 사실도 실감 나지 않는다.'

그러나 어른이라면 마주한 현실을 책임질 줄 알아야 하며.

나는 그 어떤 비극도 받아들일 생각이 없었다.

"로그아웃."

지구로 이동한다. 그리고 말한다.

"명예신이시여."

[명예신이 당신을 봅니다.]

"저에게 명예의 증명을."

우웅…….

온몸에 묘한 힘이 퍼져 나간다. 내 것이 아닌 외부의 신성은 내가 명예신의 사제가 되었다는 것.

그 모든 과정이 너무나 신속했다. 지금껏 망설인 시간이 허망할 정도의 편리함.

나는 발걸음을 옮겨 PC 앞의 의자에 앉았다.

팟!

약간의 빛과 함께 강화 플라스틱으로 만들어져 있는 의자가 황금빛으로 물들었다.

단순히 색이 변한 게 아니라 근본적인 재질이 변한 것이다.

〈당신은 골드(Gold) 랭크입니다!〉

떠오르는 문구에 기가 막혀서 웃는다.

"아니, 아무리 그래도 초월자인데 이것밖에 안 되나?"

삼신의 계급은 흔히 생각하는 랭크 게임의 그것이다.

아이언, 브론즈, 실버, 골드, 플래티넘, 다이아, 마스터, 그랜드 마스터, 챌린저.

현재 34지구에 챌린저는 존재하지 않고, 그랜드 마스터는 명예신의 사도라는 걸 생각해도 골드 랭크는 좀 너무한 수준.

'하기야 지금 34지구에서 활동하는 초월자만 해도 몇이냐.'

아까운 일이었지만, 이걸로도 목적을 이루기에는 충분하다.

"로그인."

다시 아르데니아로 들어갔다.

헐떡이는 플라워와 쏟아지는 힐링, 당황하는 사람들의 모습이 보인다.

그 속에서 플라워를 안아 든다.

"폐하?"

"조, 조심하셔야……."

떠드는 소리를 무시하고 근처에 있는 의자에 앉는다.

팟!

나무 의자가 명예의 옥좌로 변한다. 한순간 시끄럽던 방 안이 적막에 잠긴다.

"아니, 이게…… 무슨?"

"의자가……."

그들의 당황을 무시하고 텍스트를 확인한다.

〈당신은 플래티넘(Platinum) 랭크입니다!〉

'……다르다?'

어쩌면 아르데니아에서는 명예의 옥좌가 나오지 않을 수도 있다는 생각을 하긴 했지만, 예상을 벗어나 오히려 더 높을 줄은 몰랐다.

'놀랍군. 인류제국의 인구를 다 합쳐 봐야 1,000만 명이 안 되는데…….'

사실 말이 안 되는 일이다. 지금이 종말 프로젝트 때처럼 권능을 퍼주던 시기도 아니라는 걸 생각해 보면 더더욱 그러하다.

그러나 당장 급한 건 플라워였다.

"나는 일성 제약의 완전무결을 가지고 싶다."

나직이 중얼거린다. 내 말을 들은 신하들이 영문 모를 소리에 당황했지만, 이것이야말로 명예신의 사제가 가진 가장 강력한 권능이다.

물질창조(物質創造).

현실의 물건을 아르데니아로 가져오는 것은 불가능하지만…… 이 권능이라면 현실의 물건들조차 구현할 수 있다.

웅-!

〈당신은 플래티넘(Platinum) 랭크입니다!〉

〈힘의 소모로 골드 랭크로 다운됩니다!〉

〈힘의 소모로 실버 랭크로 다운됩니다!〉

〈힘의 소모로 브론즈 랭크로 다운됩니다!〉

삽시간에 단계가 주르륵 떨어진다. 다행히 랭크 다운은 아이언이나 언랭크(UnRanked)가 되기 전에 끝난다.

'좋아. 욕심인가 했는데 잘되었다.'

만족스럽게 웃으며 내 눈앞으로 떨어져 내리는 커다란

주사기를 잡아든다.

이것은 34지구 최대의 제약 회사 일성 제약의 완전무결(完全無缺).

생체력 수련자용으로 제작된 영약이기에 일반인은 먹어도 몸 상태가 만전이 되는 효과밖에 얻을 수 없지만…….

지금 상황에 더없이 적절하다.

푹!

거침없이 플라워의 정맥에 대고 주사한다.

관련 경험은 없었지만, 당연히 난 별다른 실수 없이 완전무결을 그녀의 피에 섞어 넣을 수 있었다.

"으읏……! 으윽!"

죽은 듯 눈을 감았던 플라워가 신음을 토하기 시작한다. 고통을 느낀다는 뜻이지만 오히려 희소식이다. 고통도 살아야 느끼는 것이기 때문이다.

"괜찮아. 다 괜찮을 거다."

나는 플라워의 작은 몸을 안았다. 연신 쏟아지는 힐링에 그녀의 몸이 번쩍거린다.

"폐하, 폐하……."

"그래, 플라워. 나 여기 있다."

품에 꼭 안겨 드는 플라워. 그리고 그녀의 배 속에서 꿈틀대는 태아가 느껴진다.

'플라워를 이렇게 고생시키다니. 넌 태어나고 나면 뒤지게 훈련할 줄 알아라.'

장래 희망이 뭐든 상관없이 기사 훈련을 시키겠다고 생각하던 난 이제야 에드워드에 대해 떠올릴 수 있었다.

'상황이 이리되었으니…… 가서 만나기는 아무래도 어렵겠군.'

그러나 크게 걱정되지는 않는다. 녀석은 틀림없는 빡대가리지만…… 그럼에도 곧은 심기를 가지고 있기 때문이다.

무엇보다 녀석은 중증의 시스터 콤플렉스.

하모니가 대지성에 머무는 한 크게 엇나갈 일은 없을 것이다.

'엇나가도 사실 상관은 없고.'

만약 그렇게 된다면 호되게 혼내면 그만이 아니던가?

나는 잡념을 떨치고 플라워를 다시 꼭 안아 주었다.

* * *

최초 스페셜 보스, 광신자 에드워드는 그저 '외신에 의해 타락한 성직자'라는 설정만으로 이루어진 몬스터였다.

그러나 문제가 있었으니.

캐릭터 디자인이 너무 잘 뽑혔다는 것이다.

별 이유는 없다. 그저 캐릭터 디자이너가 소위 [뻴]을 받아서 최선을 다했던 결과!

그러나 그 결과는 제작자들이 전혀 예상치 못한 방향으

로 흘러갔으니, 그 이유를 굳이 찾자면 인간은 시각에 얽매이는 동물이기 때문이라 하겠다.

인간형, 심지어 리벤지에 드물디드문 꽃미남 콘셉트의 몬스터는 많은 여성 플레이어들에게 좋은 반응을 일으켰다. 에드워드를 대상으로 팬픽을 쓰는 경우가 생겼고 일러스트를 그리는 이들도 있었다.

후에 네메시스 소프트는 이 상황을 인지, 후에 추가된 신화 클래스. 홀리 로드(Holy Lord)를 에드워드의 [가능성]으로 설정하게 되었다.

덕분에 에드워드의 인물 배경은 완전히 뒤엎어졌다.

외신을 등에 업었을 뿐 그저 타락한 인간에 불과했던 에드워드는 리벤지 세계관에서 아주 특별하고 예외적인 존재로 재탄생하게 된 것이다.

타락하면 스페셜 보스. 고난을 이겨 내면 신화급 영웅인 에픽 캐릭터로.

-빛의 명령을 따르라…….

에드워드는 태어날 때부터 특별한 개체였다.

보통의 인간보다 월등히 높은 스텟을 지니고 있었고 고작 5살의 나이에 마나를 터득해 장정을 때려잡는 존재가 되었다.

신정제국의 사람들은 그를 괴물이라 손가락질하며 두

려워했다. 만일 그의 누나인 하모니가 믿을 수 없는 수준의 매력과 정치적인 역량을 가지지 못했다면, 그가 아무리 탁월한 완력과 마나의 힘을 가지고 있어도 진작에 마녀사냥을 당해 죽고 말았을 터였다.

그의 강함에는 맥락이란 게 없었다.

아무 이유 없이 주어진, 마치 돌연변이에 가까운 재능.

에드워드로서는 짐작조차 할 수 없는 이유로 만들어진 그 비정상적인 재능은 그를 오만하고 편협한 인간으로 만들었다. '정해진' 미래대로라면 유일하게 그를 제어할 수 있었던 누이가 살해당하고 완전히 뒤틀리게 되었겠지.

그러나.

그는 황제를 만났다.

-빛의 명령을 따르라…….

"아, 진짜 쫑알쫑알 시끄럽네!"

콰앙!

폭음이 터진다. 빛이 빛과 충돌해 폭발했다.

"어리석구나! 어찌 위대한 천신의 부름을 거부한단 말인가……!"

화려한 중갑주를 걸친 사내가 에드워드를 보며 호통친다. 그러나 에드워드는 그를 비웃을 뿐이다.

"천신 같은 소리 하고 있네."

에드워드는 재연에게 배운 태극권을 끝없이 수련했고, 눈을 감고도 그 모든 것을 할 수 있게 된 후에는 실전을 뛰기 시작했다.

장소는 빛의 성.

무학을 수련하는 것만으로 빛의 속성력을 깨우친 그는 직접 빛과 맞부딪쳐 그것을 좀 더 알아보기로 한 것이다.

-빛의 명령을 따르라…….

그리고 빛의 성의 던전에 들어서자, 언제부터인가 속삭임 하나가 들려오기 시작했다. 듣다 보면 정신이 멍해지는 아주 강력한 강제력의 속삭임.

심지어 말뿐이 아니다.

[상태 이상 : 외신의 속삭임.]

그것은 원래의 역사에서 에드워드의 정신을 잡아먹었던 광기의 속삭임이었다.

문제가 있다면, 세상이 게임으로 변하며 상태창에서 상태 이상을 볼 수 있게 되었다는 점이겠지.

"외신이라니. 딱 봐도 잡스러운 악당이구만."

자신과 똑같은, 아니 자신이 자라면 가지게 될 외형을

가진 사내를 비웃는다. 당연히 헬 난이도의 보스, 광신자 에드워드가 분개를 터트린다.

"무도하다! 감히!"

쾅!

다시 충돌한다. 그러나.

훅.

달려들던 광신자의 몸이 빙글 돌고.

쿠당탕!

바닥을 굴러 벽에 충돌한다.

"이, 이익……!"

벌떡 일어서 으르렁거린다. 광신자는 지금 상황을 이해할 수가 없었다. 분명 자신의 힘과 오러가 더 강하고 심지어 위대한 빛의 힘까지 가지고 있는데 어찌 저 어린 녀석에게 일격을 가할 수조차 없단 말인가?

"후."

에드워드는 꼿꼿이 서 호흡을 골랐다. 헬 난이도로 넘어와 광신자를 봤을 때는 그도 매우 놀랐다. 자신과 꼭 닮은, 미래의 자신이라 주장하는 이를 만났는데 어찌 그러지 않을 수 있을까?

만약 광신자가 자신을 압도할 정도로 강했다면 그는 혼란에 빠졌을 것이다.

그러나.

"약해. 나보다 약한데 내 미래라고?"

코웃음 친다. 재연에게 가르침을 받은 후, 그러니까 34 지구의 발달한 심법과 무학을 전수받고 온 힘을 다해 수련한 지금 그의 전투력은 실로 드라마틱하게 상승했다.

고작 [영웅] 등급의 힘으로는 그를 상대할 수 없다. 필드에 나온 스페셜 보스조차 아닌 던전에 묶인 일반 보스로는 더더욱.

그는 황제를 떠올렸다.

"그래. 정경은 머리와 척추를 바르게 하는 걸 뜻해. 머리의 가마 부분에 끈이 달려 있다고 생각해 봐. 그 끈을 당겨 보면……."

다시 자세를 취한다.

허령정경(虛靈頂勁), 머리를 바르게 한 채 힘을 넣지 않고.

함흉발배(含胸拔背), 가슴을 약간 오목하게 하여 기를 단전에 모은다.

"네놈! 네놈---! 불신자가 되었구나! 천신의 위대하고 지엄한 권능 앞에서 자비조차 빌지 못하고 십자가에 매달릴---!"

"지엄은 무슨. 천신인가 뭔가 그깟 녀석이 황제 폐하보다 세기라도 해?"

부드럽게 에드워드의 양손이 원을 그린다. 하단전에 머물렀던 진기가 척추를 따라 기화(氣化)된다. 연정화기(煉

精化炁)의 경지.

타고난 광 속성이 진기에 깨어나 옷처럼, 갑주처럼 육신을 보호하자 그의 온몸에서 빛이 뿜어진다.

에드워드가 웃었다.

"내 생각은 다른데."

"네 이놈……!"

고성과 함께 두 에드워드가 충돌한다. 벼락같이 검을 회수한 광신자가 오러에 휘감긴 검으로 에드워드의 목을 자르려 들었다.

그러나.

퇴보(退步).

단지 한 걸음 물러나는 것만으로 검 끝을 피해 낸다. 광신자는 실패한 공격에 연연하는 대신 전신 갑주를 이용해 몸통 박치기로 에드워드를 넘어트리려 들었다. 소드 레슬링에 들어가려는 관점이었지만.

루슬요보(摟膝拗步).

가볍게 쓸어 낸다. 포탄처럼 날아들던 광신자의 몸이 어이없을 정도로 허무하게 빙글 돌았다.

"루슬은 손을 무릎 아래로 걷는 걸 의미해. 그대로 왼발이 나가며 오른손을 펼치고 오른발이 나아가며 왼손을 펼치면……."

에드워드에게는 흔히 말하는 배틀 센스가 없었다.

삶과 죽음이 갈리는, 마치 칼날 위를 걷는 듯한 전투의 순간순간에 최선의 선택을 내리지 못하는 둔재.

상대방의 공격이 허(虛)인지, 실(實)인지 구분하지 못하고 심리전을 걸지도 판을 짜지도 못한다.

동급 경지의 적과 싸우면 무조건 질 수밖에 없는 그의 배틀 센스는 전투를 수행하는 데 있어 너무나 큰 걸림돌.

그러나 지금.

빛살과도 같은 공방 속에서 그의 공수(攻守)는 완벽에 가깝다.

'넌 빡대가리니까 그냥 몸에 자세를 박아 넣어야 해.'

'아, 말이 너무 심하잖아요!'

'궁시렁거릴 시간에 한 번 더.'

몸치에, 머리도 나쁜 에드워드지만, 적어도 그에겐 한 번 마음 먹으면 절대 포기하지 않는 지독한 근성이 있었다.

머리가 돌이라면 그 돌에 글자를 새기듯 모든 자세를 때려 박으면 그만.

에드워드는 눈을 감고 재연의 가르침을 떠올렸다.

"천천히. 그리고 더 가볍게."

"네, 폐하."

"더."

"네."

공격이 들어오면 '정해진 대로' 반격한다.

대전 게임의 캐릭터와 다를 바 없다. 방어도 정해진 대로, 공격도 정해진 대로 한다. 연속기를 사용하게 되면 마치 10단 콤보처럼 정해진 대로 치는 것!

당연하지만 절대 좋은 방식이 아니다. 상대방에게 패턴을 간파당한다면 아무것도 못 하고 농락당하다가 죽을 수 있기 때문이다.

사실 수련을 이렇게 해야 할 정도로 전투에 재능이 없다면 그냥 무술을 배우지 말아야 하지만…… 에드워드는 상황이 다르다.

쓰레기 같은 배틀 센스와 바보천치나 다름없는 지능을 가지고 있어도 괜찮다.

에픽 캐릭터인 그에게는, 신화적인 영능 재능이 있었으니까.

쩌정! 땅!

손등에 부딪힌 검이 쇳소리와 함께 튕겨 나간다. 피부 위로 흐르는 내력이 육신을 보호하고 있다.

쾅!

"크억……!"

광신자가 돌멩이처럼 날아가 벽과 충돌한다. 피를 토하

는 그의 모습에 에드워드의 양손이 부드럽게 원을 그린다.

어느새 그의 발밑 땅은 태극(太極) 문양으로 우그러져 있었다.

"그거 봐."

온몸으로 번쩍번쩍 빛을 뿌려 대며 에드워드가 말했다.

"존나 약해."

"너……! 이……!"

광신자가 격노로 부들부들 떨었다. 지구로 치면 중학교 2학년쯤 되는 에드워드의 도발은 상대방의 이성을 잃게 하기에 충분한 위력을 가지고 있다.

"모두 공격해!"

척! 척! 척!

지금껏 둘의 전투를 구경만 하던 성기사들이 움직인다.

"추한 거 봐. 이러면서 내 미래라니. 쯔쯔."

"너……! 네놈! 산 채로 십자가에 매달아 주겠다! 너는 개처럼 걸으며 자비를 구걸하고 목이 찢어질 때까지 신을 찬미하게 될 것이다! 내가 그렇게 만들겠다!"

광기 어린 표정으로 소리친다. 그리고 실제로 그것은 가능한 일이었다. 휘하의 성기사들과 그가 합공한다면, 에드워드의 방어가 아무리 튼튼해도 결국 뚫릴 수밖에 없었기 때문이다.

그래.

광신자가 살아 있으면 그렇다는 말이다.

퍽!

"내가…… 엇?"

광기 어린 저주를 토해 내던 광신자의 말이 멈춘다. 멍하니 고개를 숙이는 그의 가슴팍에 거대한 구멍이 뚫려 있다.

그는 '빛퀴벌레'라 불릴 정도로 끈질긴 생명력을 가진 존재였지만…… 전설급도 아닌 영웅급의 생명력으로 이만한 부상을 이겨 낼 수는 없었다.

털썩.

쓰러지는 그의 모습에 에드워드도 놀란다.

"오…… 이게 되네? 안 되면 귀환 타려고 했는데."

이는 에드워드의 광 속성 진기가 광신자의 몸에 주입, 폭발하며 벌어진 현상이다. 태극권을 배우기 전 잠시 익혔던. 정확히 말하면 읽었던 구십구광검세(九十九光劍勢)의 효과.

아무리 광 속성에 재능이 있어도 제대로 익히지도 않은 무공인데 그걸 실전에서 한 방에 성공해 버렸으니, 과연 책을 보고 하루 만에 검기를 만들어 낼 재능이라 할 수 있었다.

[광신자를 해치웠습니다!]

[거짓된 빛의 성지(고급~영웅)의 헬 난이도가 클리어 되었습니다!]

던전 클리어 조건이 충족되자 그를 포위하고 있던 성기사들이 모두 사라진다. 에드워드가 자세를 풀고 숨을 몰아쉰다.

“휴. 솔직히 좀 위험했다. 빡대가리 놈이 일대일로 덤벼서 다행이지…… 역시 하드 난이도랑 헬 난이도는 차원이 다르구나.”

옷을 털며 보상을 확인한다. 그의 앞에 떨어져 있는 것은 상당한 수준의 골드와 몇 가지 금속제 방어구, 그리고.

“……어?”

[상급 클래스 소환권을 획득했습니다!]

그것은 엔간한 희귀 장비보다 드문 드랍 아이템이었다. 일반 몬스터의 경우 1억 마리를 잡아야 드랍될 정도니 더 말해 무엇하겠는가?

그러나 리벤지에서 이걸 대단한 득템으로 쳐 주지 않는다. 드랍률은 엉망이지만 [모든 몬스터]의 드랍 테이블에 들어 있다는 특징 때문에 매일 매일 자동 사냥을 돌리는 플레이어라면 종종 획득하기 때문이다.

무엇보다 카드를 까서 일반 등급이 나오면 다 소용없는

일이 아니던가?

"이거 되게 안 나온다고 들었는데…… 흠. 지금 내 하이 워리어보다 좋은 게 나오려나?"

중얼거리며 카드를 잡아 던진다.

티리링~!

카드가 하늘에서 빙글빙글 돌자 에드워드의 시야 한 편에 장난스러운 미소를 짓고 있는 여신상의 모습이 스쳐 지나간다.

번쩍!

빛이 뿜어진다. 항상 장난스러운 미소로 스쳐 지나가던 여신상이 깜짝 놀란 듯 미소를 지우는 모습에 에드워드의 입이 벌어진다.

"어? 이 반응은?"

놀라는 순간.

쿵!

하늘에서 지팡이 하나가 떨어져 바닥에 박힌다. 휘도는 황금빛은 모든 플레이어가 바라는 것이지만 에드워드로서는 실망할 수밖에 없었다.

"아, 지팡이…… 게다가 이 길이면 사제인가?"

중얼거리며 지팡이를 잡아 뽑는다.

-나는 그분의 검. 분노. 그리고 최후의 자비일지니.

[팔라딘(영웅)을 획득했습니다!]

"어라? 사제 직업치고는……."

에드워드는 약간의 희망을 가지고 클래스를 변경했다.

팔라딘이라니. 딱 봐도 근접 전투를 할 것 같은 느낌이 아니던가?

그러나 클래스를 변경하는 순간.

어떠한 [기억]이 그를 덮친다.

-신이여. 나를 구원하소서.

-그것이 정녕 옳다고 생각하시오?

-지키려면, 어쩔 수 없지 않겠나……

그것은 한 사내의 기록이다. 광신자 에드워드와는 전혀 다른 영웅의 모습.

"으윽……!?"

클래스 카드의 기억 전승이 이뤄지면 대상의 성향은 여러모로 변할 수밖에 없다.

[기억]은 자아의 근본.

자신이 얻은 기억을 [회귀]라는 방식으로 이해한 헤이즈는 자신이 변했다고 생각하지 않지만, 크롬 왕국의 귀족들은 그녀가 세뇌라도 당했나 의심한다.

당연한 일이다. 국가에 충성하고 귀족의 의무를 다하던

그녀가 왕의 명령을 우습게 알게 되었는데 어찌 의심하지 않겠는가?

같은 방식으로 에드워드 역시 변할 수 있었다. 어쩌면 지금의 [에드워드]가 아닌, [팔라딘]으로서의 정체성을 우선할 수도 있는 상황!

그래, 그럴 수 있었다.

그가 상상을 초월하는 꼴통이 아니면 그랬을 것이다.

"존나. 존나. 존나……."

이를 악물고 자신을 바꾸려는 기억을 비웃는다.

"약하잖아?"

이미 그에게는 절대적인 [기준]이 세워졌다. 불의와 싸우던 영웅의 기억으로도 [황제]라는 존재가 가져다 준 충격을 이길 수가 없다.

그의 캐릭터 특성은 광신(狂信).

한 번 방향을 잡으면 절대 뒤돌지 않는다.

"흥!"

코웃음으로 원래의 모습으로 돌아온다. 덕분에 팔라딘으로서의 기억이 남게 되었음에도 그 모든 것이 단지 지식에 불과하게 되었다.

"실망이네. 20년 동안 겨우 그것밖에 못 했다니."

손을 탁탁 털며 던전을 빠져나온다. 그는 자각하지 못했지만, 어느새 그는 자신의 광 속성을 완벽하게 다루고 있었다.

"아…… 얼른 폐하께 수련받고 싶다."

재연이 보았다면 질색할 미소를 지으며.

금발의 미소년이 아름답게 웃었다.

* * *

"이럴 수가……."

모두가 경악에 잠긴 채 그것을 보고 있었다.

"서, 섰다……."

"섰어……."

믿기지 않는 현실에 모두가 아연실색하고 있다.

"세상에 어떻게 이런 일이……."

"서다니. 정말 서다니."

의사, 사제, 시녀들 모두 떨리는 눈으로 그것을 보았다.

"아이가…… 두 발로……!"

"말도 안 돼……."

나는 기진맥진한 상태의 플라워를 품에 안은 채, 두 발로 당당히 서 있는 아이의 모습을 바라보았다.

갓 태어났다는 사실을 믿을 수 없을 정도로 팽팽한 피부와 풍성한 갈색 머리칼을 가진 아이는 또랑또랑한 눈으로 주위를 두리번거리다 나를 발견하고 두 팔을 뻗었다.

"꺄~ 아!"

천진난만한 웃음. 나 역시 어이가 없어 웃었다.

"천만 다행히 천상천하 유아독존을 외치지는 않는군."

손을 내밀자 갓 태어난 아이가 도도도 나를 향해 달려온다.

그리고 그대로.

폴짝!

내 무릎 위로 올라왔다.

"뛰, 뛰……."

"뛰었어!?"

"이럴 수가…… 아이가……!"

숨넘어가는 사람들의 반응을 무시한 채 내 몸에 껌딱지처럼 달라붙은 아이의 몸을 쓸었다. 양수가 남아 축축했기에 물의 속성력으로 단번에 습기를 날려 버리자, 그제야 정신을 차린 시녀가 말한다.

"아, 아들입니다! 폐하."

"그래. 나도 보고 있다."

나를 닮은 아이가 그 커다란 눈으로 나를 올려다보는 모습은 꽤 내 마음을 울리는 데가 있다.

'그런가. 내 아들인가…….'

"아……."

그때 플라워가 정신을 차리고 아이를 안아 든다. 내 몸에 착 달라붙어 있던 녀석이었지만 그녀의 손길에 저항하거나 하지는 않았다.

"꺄하……."

웃는 아이를 플라워가 넋이 나간 표정으로 바라본다.

그녀가 말한다.

"폐하가…… 불쌍해요."

"……갑자기?"

"네. 아마 지금 제가 느끼는 이 감정을 평생 느끼지 못하실 테니까요……."

나는 플라워를 보았다. 퀭한 눈과 홀쭉 들어간 볼에도 불구하고, 그녀는 꽃처럼 활짝 웃고 있다.

"그래 뭐, 그럴 수도 있겠군."

피식 웃으며 시녀들을 본다.

"쉬게 해라."

"네, 폐하! 경하드리옵니다!"

"경하드리옵니다!"

"그래."

시녀들에게 플라워와 아이를 넘겨준 뒤 방을 빠져나온다. 시종과 시녀들이 정신없이 움직이는 모습이 보인다.

"일단…… 이 정도면 잘 넘겼군."

예상했던 대로 태어난 아이는 보통의 인간이 아니었다.

외형은 인간이나 똑같지만 그럼에도 다르다. 단순히 육체 능력이 빼어날 뿐만 아니라, 녀석의 복부에 물리적인 단전, [대기]가 자리하고 있음이 감지된다.

"이제 내 아이는 다 저런 식이 되는 건가……. 무슨 신혈도 아니고 특수한 혈통이라니."

물론 그렇다 해서 특별한 아이를 양산할 수는 없으리라. 생체인자를 복제해 낼 때 내 뼈와 근육이 수십 킬로그램씩 날아가는데 어찌 함부로 그딴 짓을 하겠는가?

아직도 두 번의 관계로 인한 근손실을 다 복구하지 못한 상황이다.

"한동안은 로그아웃하지 말고 아르데니아에 있어야겠다."

그렇게 중얼거리며 집무실로 향한다.

그리고 그렇게.

10년의 세월이 흘렀다.

chapter4.

3분짜리 대침공

chapter4.
3분짜리 대침공

폭음과 함께 검기와 검기가 충돌한다.

"죽어라, 애송이……!"

"어림없다, 할망구……!"

"뭐! 할망구!? 이렇게 이쁜 할망구 본 적 있냐!?"

벼락같은 일검이 수직으로 내려 찍힌다. 어찌나 막대한 내공을 쏟아부었는지 검기가 물결치는 파도처럼 양쪽으로 퍼져 나간다.

일검파랑(一劍波浪)!

검기의 파도가 스스로 충돌해 검격의 위력을 증폭한다. 다수의 적을 상대할 때 최상의 기술이지만 한 명의 적이 상대라면 회피할 모든 공간을 차단하는 매서운 공격.

"흥! 무식하게 내공만 많아서는……!"

그러나 그 상대는 회피하는 대신 허공에 원(圓)을 그렸다.

깡! 까강! 까가강!

최초의 일격을 막은 검이 겹겹이 원을 그리며 검력을 흘려낸다. 조금의 흐트러짐도 없이 반듯하게 그려지는 원들은 차라리 기계적이기까지 한 수준!

검기의 파도가 사방으로 흩어져 바닥을 쩍쩍 갈라 버린다.

콰광! 쾅!

나는 집무실 창가 앞에서 기름에 튀겨 낸 맨보샤와 수육을 우적우적 씹으며 헤이즈와 에드워드의 요란스러운 대련을 내려다보았다.

'이 정도면 둘 다 엔간한 전설급하고 싸워도 이길 수 있겠군. 레벨로 치면 대략 15에서 16정도인가.'

그들은 인류제국 최강의 강자들. 초월자는커녕 마스터도 별로 없는 아르데니아에서는 그야말로 독보적인 무력이라 할 만하다.

"늘 생각하는 거지만 정말 엄청나네요. 공성전의 괴물들을 보는 듯하니."

"그래, 대충 그 정도 되겠지."

나는 슬쩍 고개를 돌려 저 먼 성벽을 바라보았다. 아닌 게 아니라 한참 전투가 진행되는 상황. 아래에서야 엄청난 높이의 성벽 때문에 그 모습을 볼 수 없겠지만, 그보다 더 높은 길드 타워의 최상층에서는 문제없이 내려다볼 수 있는 위치다.

쿠궁! 쿵!

두두두두!

성벽 위에 서 있는 기가스가 연신 포격을 쏟아 내고 그 옆에 주르륵 도열해 있는 병사들 또한 미친 듯 대물저격총의 방아쇠를 당긴다.

또한 그들의 뒤에서는 마법사들이 연신 탄환에 주문을 걸어 넘기고 중간중간 위치한 사제들이 방벽을 만들어 점프해 오는 적들을 밀어 떨어트린다.

치열해 보이는 광경이지만 매우 일상적인 작업으로, 전설급 몬스터가 떼로 몰려온다 해도 성벽이 뚫리는 경우는 거의 없다.

과거의 아르데니아에 떨어졌다면 홀로 나라 하나를 공포에 몰아넣을 괴물들이 신화급 성벽에 가로막혀 허무하게 죽고 있다.

물론 똑똑한 몬스터들은 저렇게 무지성으로 성벽에 들이박지 않기 때문에 방어가 곤란하지만.

'요주의 착점들은 내가 미리미리 쓸어버리고 있지.'

물론 그렇게까지 해도 부상자가 속출하는 자리이고 사망자도 종종 발생하는 편이다. 전설급 괴수들과 툭하면 전쟁을 벌이는데 어찌 피해가 전혀 없을 수 있겠나?

그러나 그조차도 이제는 '사고'라 치부될 정도로 줄어들었다.

전쟁도 재난도 없는데 길거리에서 사람이 죽어 나가던

과거의 아르데니아와는 비교조차 할 수 없는 수준이라 할 수 있다.

[아이언 캐슬에서 왕태승 님이 마법서 홍련(영웅)을 획득하셨습니다!]

"오?"

"영웅급이군요. 약 9개월 만입니다."

"그렇게 오래되었나?"

전체 공지에서 영웅, 전설급이 등장하는 경우는 상당히 잦은 편이지만 그건 죄다 내가 획득하는 아이템들이다. 정기적으로 전설급 몬스터들을 학살하고 다니니 아이템이 쌓일 수밖에 없는 것!

나는 쌓이는 영웅급 아이템들로 강화를 시도한 뒤 상을 줄 일이 있을 때마다 고위 공무원이나 직속 부하들에게 수여하고 있었다.

그 세월이 10년이니 군인, 기사들의 무장이 아주 충실한 상황이다.

'그런가. 10년인가.'

돌아보면 눈 깜짝할 사이에 지나갔다. 절대 짧지 않은 이 시간이 이토록 짧게 느껴진다는 것은 그 시간의 밀도가 그리 빡빡하지 않다는 증거이다.

'거의 휴가나 다름없는 시간이긴 했지. 육아가 있긴 했

지만…… 뭐, 애를 내가 키우는 것도 아니고.'

이렇게 오래 쉴 생각까지는 없었는데 육체와 내공의 균형이 맞지 않아 대기를 키우는 데 상당한 시간이 소모되었다.

"그러고 보니 오늘 사냥을 안 했네."

"다녀오시겠습니까?"

"그래. 끝나고 훈련장으로 갈게."

자리에서 일어나자 플라워가 슬쩍 다가와 입술을 맞춘다.

"조심하십시오."

"항상 조심하지."

옥상으로 올라간다. 황제인 난 8개의 화점을 정기적으로 순회하며 머물고 있었고 지금은 빛의 성에 머물고 있다.

그게 무슨 말이냐 하면.

'서쪽으로 600킬로미터라는 말이지.'

꾸우우욱----

허공을 딛고 서 자세를 웅크린다. 옥상을 밟고 뛰면 아무리 전설급 길드 타워라도 손상될 수 있으니 만물저항의 힘으로 차원을 밟아야 한다.

그리고 그대로.

쿵!

쏘아진다.

도착은 한순간이었다.

팟!

온몸에 걸렸던 가속이 단번에 사라진다. 내가 600킬로미터 거리에 있던 빛의 기둥에 정확히 골인해 벌어진 현상이다.

[죽음의 신전]

소리조차 없는 위성을 밟고 선다. 고개를 들어 보니 아득히 멀리 있는 태양 크기의 행성이 보인다.

'금방 갈 줄 알았는데.'

그러나 어림도 없다.

[침입자.]

[침입자.]

[침입자.]

"아, 잠깐만 보자 잠깐만. 아오, 성질 급한 녀석들 진짜."

몰려오는 엘더 스켈레톤을 보며 인상을 찡그린다.

10년이 지났다.

나는 스스로의 육신에 적응하는 한편 내 전용 무공. 대기만성(大器晩成)을 끊임없이 가다듬었다. 매일매일 3시간씩 축기해 내공을 쌓고 전설 몬스터들을 학살하며 무공을 시험했다.

그리고 무엇보다.

이 신화급 뼈다귀들과 싸웠다.

수련은 충실히 진행 중이지만 던전 공략은 전혀 이루어

지지 않았다. 10년 동안 내가 강해지는 이상으로 적들의 대응이 악랄해졌기 때문이다.

훙!

고개를 꺾어 휘둘러지는 왼팔을 피해 낸다. 안쪽으로 파고들어 히페리온을 휘두른다. 기본적인 속도가 나보다 빠른 엘더 스켈레톤이 어깨를 내밀어 그것을 막으려 들었지만 나는 왼다리로 녀석의 다리를 가격, 자세를 무너트린 후 머리를 깨 버렸다.

퍽!

이어서 덤벼드는 엘더 스켈레톤의 왼팔은 피할 수 없어 옆구리에 얻어맞지만 각오하고 있던 일이기에 새끼손가락을 녀석의 견갑골에 걸어 끌어당긴다.

빡!

'젠장 얕았다! 시작부터 꼬이네!'

머리를 박살 내지 못했다. 머리를 쳤지만 쉐도우 트와이스의 추가타는 없다. 온갖 사기급 패시브와 미친 스텟을 가지고 있는 것은 나뿐이 아니기 때문이다.

부가 효과 면역 최상급(신화)

피해를 주는 부가 효과를 최대 3회까지 무효화시킵니다. 부과 효과가 무효화된 공격은 최소 데미지만 가하게 됩니다.

충전 시간 3초.

'하. 뭔 일반 몬스터가.'

모든 부가 타격을 3회까지 무효화시키는 이 미친 패시브는 치명타까지 무효화시키기 때문에 검신 클래스 특유의 데미지 뻥튀기가 불가능하다.

'슬슬 다른 신화 클래스를 알아봐야 하나. 스텟도 궁극 스텟으로 막혀서 고수의 간합도 무용지물이고.'

그런 고민이 들고 있는 요즘이지만 검신합일 특성이 너무 좋아서 그러지도 못한다. 6.2인 히페리온의 물리계수를 12.4배로 만드는 검신합일 하나만 해도 모든 패시브 스킬을 다 더한 것 보다 효율적이기 때문이다.

[침입자.]

[침입자.]

[침입자.]

사방에서 몰려온다. 엘더 스켈레톤의 간격은 수 킬로미터로 멀지만 내가 600킬로미터를 우습게 뛰어오듯 녀석들의 이동 속도 또한 만만치 않다.

콰득!

빽!

피한다. 머리를 부수고 자세를 무너트려 밟아 버린다. 그리고 녀석들이 어느 정도 많아졌을 때 즈음.

"나와라. 랜드웜!"

쿠구궁---!

땅이 뒤틀린다. 반경 수 킬로미터의 대지가 단번에 액

상화(液狀化)되며 초월적인 신체 능력으로 가속하던 엘더 스켈레톤이 바닥에 빠져든다.

동시에.

[꺄하하하! 머리통 수집 시간이야-!]

어둠으로 이루어진 거인이 나타나 허우적거리는 엘더 스켈레톤의 머리를 깨고 다닌다. 히페리온의 에픽급 특성.

마검혼(魔劍魂).

전투 방식은 구려도 스펙만큼은 신화급인 데다 비행이 가능하기에 이런 상황에서 소환하면 상당히 활약하는 편이다.

당연한 말이지만 랜드윕은 머리를 내밀지는 않는다. 도움은 되는데 괜히 몰매를 맞게 되기 때문이다. 랜드윕 녀석의 진짜 쓸모는 따로 있는데 죽기라도 했다간 큰일이다.

[죽음의 신전에서 한재연 님이 엘더 스켈레톤의 상완골(전설)을 획득하셨습니다!]

[죽음의 신전에서 한재연 님이 엘더 스켈레톤의 상완골(전설)을 획득하셨습니다!]

[죽음의 신전에서 한재연 님이 용맹의 팔찌(영웅)을 획득하셨습니다!]

"오, 용맹 팔찌."

전설급이지만 재료 아이템에 불과한 상완골과 달리 사

용처가 많은 물건. 반색하면서도 전투를 이어 나간다.

콰득! 퍽!

발을 잡으려 드는 손을 피해 짓밟고 머리를 부순다. 허공을 밟고 미사일처럼 쏘아져 사방으로 검을 휘두른다.

극의지체를 완성한 후, 나는 내 몸을 다루기 위해 많은 고민을 해 왔다. 차크라 술식을 외우고, 30분 동안 운기행공하고, 신화급 스킬 검강을 더하고…… 그 모든 과정이 단순히 검을 들어 내리치는 것보다 약하다는 사실이 충격이었기 때문이다.

그리고 지난 10년.

내가 큰 착각을 하고 있다는 것을 깨달았다.

'내 몸을 너무 몰랐다.'

내가 완성한 극의지체의 최대 강점은 영능 기관 대기가 아니다. 정확히 말하자면 강점인 건 맞지만 좀 더 본질적인 강점. 그러니까 [물리적 단전을 품을 수 있을 정도의 호환성]이 있던 것이다.

생체력 수련자는 다른 영능을 함께 익히기 힘들다. 마나 그 자체와 융합하여 만물에 저항하는 육신이 영감을 둔화시키고 영능의 제어를 몇 단계나 어렵게 만들기 때문이다.

[침입자 확인. 배제하겠습니다.]

[흐! 재미있어 보이는 녀석이로구나!]

그러나 내 극의지체는 다르다.

단전을 품은 이 극의지체는 영감이 조금 둔화 되었을 뿐 문제없이 내력을 몸에 휘두를 수 있다.

내공을 몸에 둘러…… 육신을 강화할 수 있다는 뜻이다.

쿵.

땅을 박차고 쏘아져 나간다. 그런 내 앞으로 루나 데스나이트(신화), 남궁현아가 마주 달려든다.

그녀의 검에서 흑빛의 강기가 줄기줄기 뿜어진다.

"후."

소리 없는 호흡과 함께 운기한다.

무학에는 경공(輕功)이라는 개념이 있다. 쉽게 말해 몸을 가볍게 하는 공부로, 무학의 발달 정도에 따라 그 방식 또한 다양하게 분화한다.

중력에 간섭하거나, 일종의 염동으로 몸을 띄우거나, 심지어 속성력으로 바람을 타는 경우도 있는 것.

반대의 개념의 천근추만 해도 그렇다.

천근추(千斤墜)는 중력을 조절하거나 아래로 내리누르는 방식이다. 육신의 질량은 똑같지만 아래로 떨어지는 힘이 부여되는 것. 그 때문에 이런 방식으로는 추락을 가속할 수 있다.

천근추(千斤錘)의 경우에는 내공 그 자체에 질량을 부가한다. 정말로 무거워지는 방식이기 때문에 추락 속도에는 변화가 없다.

"강기(剛氣)."

그리고 이 경우.

이 질량이 중요하다.

대기만성(大器晩成).

파산격(破山擊).

남궁현아의 검과 히페리온이 충돌한다. 그녀의 검에 휘도는 검강은 물리력을 포함한 대부분의 외력(外力)을 무효화하는 권능을 품고 있지만 내 검에 씌워 있는 것도 검강.

'스킬이라 추가적인 응용은 못 하지만.'

그래도 검강은 검강이었기에 접촉의 순간 두 강기가 중화되 검과 검이 충돌한다.

[……!?]

데스나이트의 창백한 얼굴에 경악이 깃들고.

와— 지직!

히페리온이 그녀를 갑주째로 짓이겼다.

쿠우———————!

끔찍할 정도의 물리력에 운석이 후려친 듯 대지가 터져나간다. 주변을 포위했던 엘더 스켈레톤이 몽땅 우주 공간으로 튕겨 나가고 적막하던 위성에 산 하나가 들어갈 만한 크레이터가 생겨난다.

힘들게 만들어 낸 고유식 일심(一心)은 방향을 완전히 잘못 잡은 결과.

이것이 내 극의지체의 올바른 사용법이었다.

[미, 친! 이건 말도……!]

괴성과 함께 자욱했던 먼지가 단번에 날아간다. 데몬 리치(신화) 사루만의 머리 위에 검은 태양이 이글이글 타오르고 있다.

쩡!

쏘아진다. 사루만이 해골 머리를 딱딱거리며 나를 비웃었다.

[늦었다, 괴물 놈……! 이상한 물리력을 다루는 모양인데 나에게는 차원 방벽이……]

쩍!

어깨를 들이밀자, 그대로 차원을 뚫고 지나간다.

[뭐!? 아니 검강도 없이?]

녀석의 말대로 검강으로 찢을 수 있지만 시간 낭비다. 가능하긴 한데 세 번 이상 검격을 가해야 할 테고 그때는 이미 주문이 완성된 상태일 것이기 때문이다. 만물저항이 있는데 왜 그런 뻘짓을 하겠는가?

턱.

사루만의 해골을 붙잡았다. 녀석의 머리 한가운데 있는 라이프 베슬이 보인다.

[아, 안 돼.]

"돼."

대기가 없는 공간에서 녀석이 듣지도 못할 말을 하며.

그대로 주먹을 쥐었다.

콰득.

라이프 배슬이 박살 나고 아이템이 인벤토리로 들어온다.

희귀급 악세사리, 악몽의 귀걸이다.

"아, 드랍 진짜 개똥망……."

욕이 절로 나오지만 리벤지의 드랍률은 원래 이게 정상이다. 아무리 신화급이어도 무슨 레이드 보스도 아닌데 한두 마리 잡은 거 가지고 득템을 할 수는 없었다.

"하기야 엘리트급 정도로는 어렵긴 하지. 보스급 정도는 잡아 줘야……."

[오호. 혹시 보스라는 건 여(予)를 말하는 건가?]

들려오는 영언에 눈살이 찌푸려진다.

"하…… 싫은 녀석이 왔네. 너 말고 피빨이 녀석이 와 주면 안 될까?"

대기가 없어 소리가 전달되지 않는 위성에서 당연하다는 듯 내 말에 대꾸하는 이는 온몸을 붕대로 감고 있다.

붕대 위로 드러나는 육감적인 굴곡이 그녀의 성별을 알려 줄 뿐 그 외의 어떤 정보도 알 수 없다.

[섭섭하군. 둘이 만나고 싶어서 바쁘게 달려왔는데.]

"그러니까 난 별로 만나고 싶지 않았다는 말이잖아."

태연하게 답하면서도 내심 짜증이 난다.

'왜 하필 이놈이야…….'

신화급 몬스터라지만 신화급 일반 몬스터는 초월자라

고 볼 수 없다. 신화적인 요소를 품고 있을 뿐 그에 합당한 역량이 없기 때문이다.

녀석들을 굳이 레벨로 표현하자면 19.5레벨의 괴물.

'뭐, 그 위 단계만 가도 이야기는 달라지지만.'

엘리트 몬스터에 들어가면 이제 초월자라 불러 줄 만하다. 궁극 마법을 다루는 리치나 검강을 다루는 데스나이트 등이 나오기 시작하는 것이다.

'그래도 턱걸이지.'

그렇다. 엘리트급이라고 해 봐야 턱걸이 초월자에 불과하다. 초월자는 초월자지만 그야말로 최하위의 격을 가진, 스스로 그 위치에 올랐다기보다 [외부의] 힘으로 만들어진 존재.

그리고 그런 면에서…….

"또 죽고 싶다 이거지?"

보스급 신화 몬스터부터가 진짜 초월자라 할 수 있었다.

[죽고 싶다…… 그래. 여의 기억이 날아간 건 역시 너 때문이었군! 그래! 그래서 내가 얼른 만나고 싶었지!]

깔깔 웃는 미라의 붕대 사이사이에서 증기가 뿜어진다. 당연히 물리적인 수분이 아니라 수천수만 명의 영혼으로 이루어진 죽음의 연무!

"아, 정말…… 짜증 나는군. 히페리온! 알아서 싸워."

[아, 요새 너무 많이 싸우는 거 아냐? 게다가 왜 맨날 상대가 초월자야. 나 좀 쉬자…….]

히페리온의 답변에 어이가 없어서 검 손잡이를 잡고 탈탈 털었다.

"하루에 4시간밖에 안 싸우는데 뭔 헛소리야? 옛날에는 왜 안 싸우냐고 징징거리더니."

[와, 미친놈인가 진짜…….]

"아, 빨리!"

[아, 이거 중독이야. 중독……]

힘없는 답변과 함께 어둠의 거인이 몸을 일으키는 모습을 보며 나는 정면의 붕대 괴물을 바라보았다.

리벤지에서 유일하게 정복되지 않은 천원에는 스페셜 보스 망령룡 레플리를 따르는 4명의 보스 몬스터가 존재한다.

그랜드 데스나이트, 샤인라이트.

아크 리치, 밝은 눈.

엘더 뱀파이어, 드라클리아.

그리고 언데드 파라오, 하트셉트.

흔히 4천왕이라 불리는 녀석들은 완전히 초월지경에 들어선 초월자들로 완숙한 20레벨, 아니 어쩌면 21레벨일지도 모를 강자들이다.

단 하나가 상대라도…… 절대 우습게 볼 수 없는 강자.

나는 사방에 깔리는 영기를 느끼곤 히페리온을 등에 찼다. 계수 증폭의 힘이 아쉽지만, 안타깝게도 언데드 파라오(Undead Pharaoh)는 무기보다 육신으로 상대해야 하는 적이다.

오오오오---!

[전군--! 전진! 산 자의 배를 찢고 내장을 발라내라!]

[황제 폐하를 위하여!]

반투명한 수만의 군세가 쏟아져 내린다. 근접 플레이어들이 가장 싫어한다는 유령 군대!

쩌저적! 콰!

돌진해 막아서는 유령의 군대를 어깨치기 한 방으로 와해시킨다.

그러나 언데드 파라오는 영체계 신화급 몬스터.

육체적 능력에 치중된 내 전투 방식에 썩 좋은 상대는 아니다.

'엘더 뱀파이어가 좋은데.'

녀석의 능력인 혈류 제어와 정신 간섭은 내게 거의 먹히지 않아 초월자라는 게 믿어지지 않을 정도로 만만한 상대다. 농담이 아니라 농락하다 죽이는 게 가능할 정도!

똑같은 초월자인데 이 정도 차이가 날 수 있다는 게 우습지만, 원래 상성이라는 건 경지를 가리지 않는 법이다.

펑! 펑! 쿠구궁!

언데드 파라오와 나와의 전투 양상은 단순했다. 나는 마치 포탄처럼 녀석을 향해 달려들고 녀석은 유령 군대를 일으켜 나를 막아서며 끊임없이 나를 공격하는 흐름.

나는 손을 뻗어 달려드는 영체를 잡아 찢었다. 간단하

지만 효율적인 방식은 아니다. 이 순간에도 언데드 파라오 녀석이 유령 군대를 쏟아 내고 있었기 때문이다.

신화급 일반 몬스터는 드랍 아이템이라도 있지, 이 망할 유령 군대를 잡는 건 문자 그대로 시간 낭비다.

[하하하! 미련한 놈! 여의 앞에서 영원히 춤춰 보아라!]

언데드 파라오가 나를 비웃으며 끝없이 저주와 군대를 쏟아 낸다. 나는 그 모든 것들을 묵묵히 받아 내며 녀석에게 달려들었다.

우웅.

운기 한다. 온몸에 내공이 휘돌고 정해진 철학과 이치에 따라 현실을 초월했다.

파직.

신경을 따라 번개가 달린다.

화륵!

근육이 가열되며 낼 수 있는 힘, 속도 등 모든 출력이 폭발적으로 증폭된다. 생명체를 초월한 엄청난 힘이 육신에 깃들었다.

치이익--!

혈관을 타고 흐르는 냉기는 수천 도가 넘는 육신을 식히느라 비명을 지른다. 빙(氷) 속성을 넘어 수(水)까지 전투에 쓸 수 있게 된 것은 이미 옛날 옛적의 일이다.

'오로지, 빠르게.'

생체력의 육신은 강력하지만 그래 봐야 너무나 단순해

간파당하기 쉽다는 단점을 가지고 있다.

때문에 식(式)이 존재한다.

강대한 육신을 더 잘 다루기 위한 기술이나 강대한 [개성]을 얻기 위한 특유의 진화.

그러나 그 어떤 진화도…… 나만큼 이질적인 효과를 발휘할 수는 없으리라.

보법(步法).

무공도 결국에는 이능이고 개중에는 술법에 반쯤 걸친 녀석들이 종종 존재한다.

일곱 걸음으로 대상의 존재를 물질 세계에서 감추는 칠성둔보(七星遁步).

오직 걷는 것만으로 육체를 한순간 벼락으로 만드는 뇌신보(雷神步).

물리 법칙을 초월해 초인의 반사 신경에도 잡히지 않게 가속하는 이형환위(移形換位)의 보법들.

나는 그 모든 지식들을 조합하고, 덜어내고, 때로는 변형하며 나에게 맞는 무학을 만들어 냈다. 아직 완성형이라고는 할 수 없다. 너무나 많은 단점을 가진 무학이기 때문이다.

그러나 그럼에도 여기에는 명확한 장점이 있다.

궁극의.

속도.

대기만성(大器晩成).

아광(亞光).

쿵!

세상 모든 것이 압축된다. 찰나의 순간 나는 모든 과정을 건너뛰고 목적지에 도달해 있었다.

[……뭐?]

언데드 파라오가 자신의 가슴팍을 꿰뚫은 팔을 멍하니 내려다본다. 녀석은 영체이지만 차원조차 만질 수 있는 육신을 통과시킬 수는 없다.

[미, 친. 말도 안…….]

퍼엉!

붕대가 산산이 찢겨져 나간다. 나는 입을 벌렸다.

쿨럭.

죽은피가 주르륵 쏟아진다. 피는 땅에 닿기도 전에 피부를 통해 재흡수되었지만, 이미 죽은피에서 회수할 수 있는 생명력은 일부에 불과하다.

'아, 피해는 어쩔 수가 없네.'

나는 기존의 무학을 수정해 있을 수 없는 수준으로 성능을 올려 두었다. 절대로 빼서는 안 되는 부분. 즉, 육신 자체를 영체화(靈體化) 구결을 생략해 가능한 일이었다.

'영체화 물리 법칙을 간단히 뛰어넘게 만들어 주지만…… 약점도 너무 커진다.'

육신은 영혼의 성벽.

육신을 버리면 물리 법칙에서도 벗어나지만, 대신 간단한 주문. 마나 방벽에도 손쉽게 가로막히게 된다.

이제 약점은 사라지고 대신에 강대한 위력이 붙었지만, 당연히 패널티가 생겼다.

광속에 준하는 이 미친 속도를 오로지 육신으로 버텨야 하기 때문이다.

'체중이…….'

눈을 감고 체중을 확인한다. 5킬로그램이나 줄어 있다. 그나마 인자를 만들어 낼 때처럼 쌩으로 근육과 뼈가 날아가진 않지만, 이걸 복구하기 위해서는 상당한 수준의 식사가 필요하리다.

[이건, 정말 놀랍군.]

그때 반갑지 않은 영언이 머리를 울린다. 고래를 돌리니 저 멀리에 서 있는 흑갑의 기사가 보인다.

그랜드 데스 나이트, 샤인라이트.

[아니, 하트셉트 이 병신년 벌써 죽었어? 그걸 못 버티다니 꺄하하하!]

엘더 뱀파이어. 드라클리아.

"하. 제길."

살기등등하게 다가오는 두 보스급 몬스터를 보며 한숨 쉰다.

'이대로는…… 안 돼.'

결국 그런 결론이다. 초월지경에 이르러 경지에 도달했다 하더라도 천원의 몬스터를 학살하는 것은 불가능했다.

천원의 몬스터들 역시 신화의 영역에 발 디딘 존재.

망령룡 레플리와 일대일을 해도 이길지 말지 확신이 안 서는 판에 그 아래 무수한 부하가 있으니 도저히 답이 없다.

그 탓에 10년 동안 망령룡 레플리는커녕 4천왕도 고작 7번을 잡았을 뿐이 아닌가?

"다음에…… 다음에 다시 보자."

[어딜 도망--]

팟!

귀환 스크롤을 찢어 빛의 성으로 되돌아온다.

"폐하."

"화, 황제 폐하다."

"세상에……."

내 모습을 발견한 사람들이 술렁거리지만 소란을 일으키거나 하지는 않는다. 내가 귀환 주문서를 쓰는 일은 꽤 자주 있는 편이고 날 발견한 제국민들이 호들갑 떠는 모습을 별로 좋아하지 않는다는 사실이 널리 퍼졌기 때문이다.

그들은 다만 고개를 숙여 예를 취했다. 나는 고개를 끄덕이고는 인벤토리에서 몇 개의 음식을 꺼내 먹었다.

팟!

장비 변경으로 옷을 바꾸는 건 당연한 과정. 나는 어느 정도 사람 몰골로 돌아온 뒤 훈련장으로 향했다.

"충성!"

훈련장을 지키고 있던 병사들의 경례를 받으며 훈련장으로 들어간다. 기가스 체험관에 달린 훈련장이었기에 규모와 시설이 현대의 그것에 버금가는 곳이다.

들어가 보니 훈련장 한가운데에서 헐떡이는 헤이즈와 에드워드의 모습이 보인다.

"하아…… 하아…… 내가 이겼지?"

"네? 뭔 소리예요? 머리로 가야 할 영양분이 가슴으로 간 거 아니에요?"

"뭐 인마? 요요 싸가지 없…… 어? 재연아!"

나를 발견한 헤이즈가 후다닥 달려와 안긴다. 육중한 중량감에 피식 웃는다.

"실력이 꽤 늘었네."

"뭐, 내공 빨이지. 훈련도 그걸 잘 활용하는 방향으로 진행 중이고."

10년의 세월이 지났지만 헤이즈는 전혀 늙지 않았다. 아니, 늙지 않은 정도를 넘어 더 생생해 보일 정도.

그녀의 복부에 자리 잡은 대기와 그 안에 담긴 웅혼한 내력은 이러다 반로환동이라도 하는 건 아닐까 싶을 정도의 활기를 그녀에게 부여하고 있다.

그때 훈련장 한쪽에 있던 플라워가 다가와 젖은 수건으로 내 몸을 닦아 주며 헤이즈를 향해 눈을 흘겼다.

"헤이즈, 밖입니다."

"아이참. 플라워, 딱딱하다니까."

플라워와 헤이즈가 웃으며 대화를 나눈다.

어색한 관계였던 둘은 많이 친해진 상태다. 하기야 10년 동안 계속 마주쳤는데 그렇지 않다면 오히려 이상하겠지.

"다녀오셨습니까! 폐하!"

"그래, 에드워드. 태극검이 꽤 늘었던데."

"감사합니다! 날마다 정진하고 있습니다!"

빠릿빠릿하게 소리치는 에드워드는 10년 전과 완전히 달라진 모습이다.

훤칠한 키, 반짝이는 금발, 하얀 피부에는 잡티 하나 없고, 부드러운 이목구비는 장인이 깎아 만들기라도 한 듯 아름답다.

'그야말로 그린 듯한 미남이로구만.'

제국에서 세 손가락 안에 드는 무력에 눈부신 미모, 황제의 제자라는 배경 덕에 녀석의 이름이 대륙 전체를 울리고 있다. 그의 누나인 하모니에 이끌려 [방송]에 나온 적도 많으니 녀석 때문에 잠 못 이루는 여인이 한둘이 아니겠지.

"……체중이 줄어 드셨습니다."

"아, 4천왕 녀석들하고 만나서."

내 안색이 안 좋아졌다는 걸 파악한 플라워의 말에 여상하게 대꾸하자 에드워드가 주먹을 불끈 쥔다.

"저, 저도 같이 가겠습니다! 함께 싸우게 해 주십시오!"

"마음은 고맙지만 이대로 따라가면 죽는다."

인류제국 세 손가락에 드는 강자라지만 에드워드의 전투력은 아직 모자라다. 엘더 스켈레톤 하나 감당하기 힘든 무력으로는 짐밖에 되지 않으리라.

"그럼…… 어떻게 해야 할까요? 태극혜검을 익힌다면 가능할까요?"

에드워드의 말에 어이가 없어 웃는다.

"익히던 거나 잘 익혀. 태극혜검은 무슨."

장삼봉이 만들었다는 태극검은 이제 와서는 원본이 의미 없을 정도로 수많은 방식으로 분화했다.

그중 에드워드에게 가르친 버전은 당연히 가장 단순하고 암기가 쉬운 종류.

'태극삼검.'

식이 고작 3개밖에 안 되는 간략판인데 이조차도 아직 마스터하지 못한 녀석이 태극혜검은 무슨 태극혜검이란 말인가?

'뭐 그래도 언젠가 신화에 오르긴 하겠지?'

스페셜 보스, 신화 클래스의 원형인 에드워드는 신화 확정 가챠.

언젠가 정말 신화급에 이르러 내 전투를 도와줄지도 모른다.

"폐하."

그때 훈련장 문이 열리고 한 사내가 모습을 드러낸다.

검은 머리의 훤칠한 키를 가진 녀석은 그 덩치에 맞지 않는 어려 보이는 얼굴을 하고 있었다.

'어려 보이는 얼굴이라.'

스스로의 생각에 어이가 없어 웃었다.

왜냐하면, 그는 어려 보이는 게 아니라 실제로 어리기 때문이다. 심지어 그냥 어린 것도 아니라 엄청나게 어리다.

그렇다. 저 훤칠한 사내놈은.

10살짜리 꼬맹이였다.

"지성이 왔구나!"

헤이즈가 반색하며 달려가 지성을 껴안는다.

"크, 큰어머님. 이, 이거 놓고……."

"에이. 뭘 부끄러워하고 있어. 우리 꼬맹이~!"

헤이즈의 스킨십에 지성이 얼굴을 새빨갛게 물들인 채 쩔쩔맨다. 마치 몸매 좋은 누님의 스킨십에 어쩔 줄 모르는 고등학생 같은 모습.

그러나 10살이다.

'저게 10살이라니.'

지혜로운 성품을 가졌으면 한다는 플라워의 희망에 따라 지성(知性)이라는 이름을 가지게 된 아이는 고작 10년 만에 저렇게나 자랐다. 단순히 덩치만 큰 게 아니라 덩치에 맞는, 아니 어쩌면 그 이상의 지적 능력을 갖춘 존재가 된 것이다.

"그래. 무슨 일이냐?"

내 물음에 녀석이 자세를 고치고 말한다.

"아, 브라이트 왕국에 관한……."

나는 손을 들어 녀석의 말을 막았다.

"그쪽 문제면 얘기가 길 테니, 저녁이나 먹으면서 하지."

훈련장에 오며 급한 대로 먹었지만 아광속을 낸 반동이 완전히 가시지 않았다.

"좋지! 씻고 바로 갈게."

헤이즈가 훈련장 한쪽에 있는 문으로 들어간다.

플라워는 지성에게 가서 물었다.

"수업은 잘 들었니?"

"네, 어머니. 선생님께서 잘 설명해 주셔서 이해하기 쉬웠습니다."

지성은 내가 예상한 것과 전혀 다른 방식으로 자라고 있다.

'당연히 전투 머신이 될 줄 알았는데.'

그렇게 생각할 수밖에 없는 것이 태어나자마자 두 발로 서던 녀석이 아닌가? 보통의 인간과 비교 불가능한 신체 재능을 가지고 있으니 당연히 무학을 수련하게 될 것이라 본 것이다.

그러나 지성이 재능과 관심을 보이는 영역은 정치와 행정 쪽이다.

'건장한 체격에 대기를 가지고 있어 내공도 순조롭게 모으고 있지만…… 투쟁심이 부족해. 아직 어려서 그런

걸 수도 있지만.'

상황이 이러니 녀석을 키워 신화 던전에 데리고 갈 전력으로 삼을 수는 없을 듯하다. 하기야 그런 게 가능하다 해도 수십 년은 더 걸릴 테니 애초에 말이 안 되는 상상이긴 하다

"아, 폐하."

그때 잠시 생각에 잠겨 있던 에드워드가 말을 건다.

"왜?"

"누님이 곡들을 다 정리했다고 하더군요."

"아, 언제나 수고하는군. 고맙다고 전해 줘."

"직접 전해 주시면 더 기뻐할 겁니다."

"그래, 언제 한번 보지."

에드워드의 누나, 하모니는 인류제국 최고의 가수이자 제작자로 왕성하게 활동 중이다. 천재적인 재능과 20대 후반의 물오른 미모는 대륙 전체에 명성이 자자한 상황.

'그래. 슬슬 로그아웃을 해야 하니…… 곡들을 정리하긴 해야겠지.'

그렇게 생각하며 발을 옮긴다.

딩동!

우리는 길드 타워로 돌아와 식당으로 이동했다.

오로지 나와 내 가족을 위해 한 층을 통째로 쓰고 있는 식당에는 이미 진수성찬이 차려져 있다.

멧돼지 뒷다리를 매콤달콤한 양념에 담가 푹 쪄낸 찜,

소의 혀를 소금과 후추 그리고 다양한 향신료를 살짝 곁들어 살짝 구워 낸 요리, 뼈를 발라 달콤한 과일즙에 쪄낸 생선찜, 적당하게 오들오들 씹히는 면에 크림소스를 잔뜩 붓고 마늘 후레이크를 올린 파스타, 뜨끈한 국물의 우동 등등 지구의 음식이라고 해도 무방할 수준의 음식들.

하나같이 음미해야 할 고급 요리였지만 나는 흡입하듯 먹어치웠다.

우적.

당연히 식사량은 엄청나다.

아르데니아가 평범한 중세시대였다면 아무리 황제여도 문제가 될 정도의 양. 그러나 던전에서 음식이 쏟아져 나오는 인류제국에서 식량 걱정은 남의 이야기에 불과하다.

5년 전부터는 남부 지대에 대형 농장을 다수 운영하며 곡물들도 쏟아져 나오는 상황이기도 하고, 모든 바다에서 공급되는 어획량도 풍부하다.

"그래서."

어느 정도 배를 채운 난 천천히 식사를 진행 중이던 지성에게 물었다.

"브라이트 왕국이 왜?"

인류제국은 대륙의 모든 인류를 품었다. 스스로를 중앙인이라 지칭하며 다른 국가를 깔보던 명제국도, 정기적인 마녀사냥으로 사람을 산 채로 불태우던 신성제국도, 두 제국의 안 좋은 점을 다 모아서 가지고 있던 팔 왕국도, 인간이라면 치를 떨던 크리스털 연맹도 이제는 모두 인류제국에 녹아들어 인류제국에 속해 있었다.

그러나 인류제국이 아르데니아 대륙의 유일한 세력은 아니다.

다른 인간의 세력이 몬스터의 공격을 막아 내며 세력을 만들었다는 게 아니라, 인간이 아닌 이들로 만들어진 세력들이 존재하기 때문이다.

'브라이트 반란군.'

그런 이름의 몬스터가 있다. 광신자 에드워드가 이끌던 신성군이 그러하듯 [적]으로 설정되어 몬스터로 구분된 무리.

"섣부른 판단일지 모르지만…… 브라이트 반란군의 성에 들어가는 길드의 수를 늘려야 합니다."

"왜지?"

똑같은 몬스터라 해도 대화가 통하는 이들이 있다.

높은 지능을 가진 데다가 스스로의 수양(修養) 외에는 어디에도 관심 가지지 않는 사이클롭스 수련자들.

신성력을 사용하는 천사족.

높은 마법적 능력을 갖춘 만상요정(萬象妖精).

하나하나가 특이한 권능을 가진 신수족까지.

그들은 높은 지능에도 끝없는 악의로 타협이 불가능한 마족이나 마법사라고는 믿을 수 없을 정도로 폭급한 오우거 메이지와는 경우가 달라 정기적으로 청소하는 대신 어느 정도 타협하고 그 영역을 인정하는 편이다.

그러나 가장 말이 통하는 건 역시 같은 모습을 가진 인간.

서로의 영역을 인정한 지 5년이 넘는 지금. 브라이트 반란군은 스스로를 브라이트 왕국으로 선포하고 인류제국과 교역까지 하는 상황이다.

"여기, 브라이트 왕국과의 교역 내역입니다."

나는 지성이 넘겨주는 종이를 받아 들었다.

"……목재의 수입이 늘었군?"

"정확히는 숯을 만들기 위한 목재입니다. 제가 알아보니 무기를 녹여 농기구를 만들고 있다고 하더군요."

"기묘하군."

"네. 기묘한 일이지요."

왜냐하면, 그들의 본질이 몬스터이기 때문이다. 몬스터들은 자신들의 본진이라 할 수 있는 빛의 기둥에 잠시 들르는 것만으로 상태가 갱신된다. 식사를 할 필요가 없어지는 것인데 그들이 무기를 녹여서까지 농기구를 만든다?

"위협이 될 거라고 보는 거냐?"

"정확히 그렇다고는 생각하지 않습니다. 그들은 확실하게 폐하께 굴복한 상태이기도 하고요. 다만 그들이 정책적으로 뭔가를 진행하고 있음에도 저희가 그걸 모른다는 건 결코 좋은 일이 아닙니다. 그들과의 관계를 지속적으로 유지한다면……."

논리적으로 자신의 주장을 펼친다. 나는 지금 상황과

녀석이 떠올린 몇 가지 가정. 그리고 그 가정에 따른 대응 방법 등을 식사를 진행하며 듣다가 물었다.

"현재 인류제국의 인구가 어떻게 되지?"

내 물음에 지성이 막힘없이 대답했다.

"지난달 1일 인재개발청에서 발표한 인류제국의 인구는 1,247만 명입니다. 그리고 그중 시민권을 발급받은 인원은 870만 명입니다."

지난 10년의 세월 동안 인류제국은 눈부시게 발전했다. 인구가 폭증했고 사회는 안정되었다. 지식이 방대해졌고 기술이 발전했으며 무엇보다 인간의 평균적인 역량이 과거와 비교할 수 없을 정도로 상승했다.

결격 사유가 없다면 단지 성인이 되는 것만으로 일반 등급의 클래스를 선택해 플레이어가 될 수 있으며, 이는 시민권을 발급받는 과정이다. 즉, 인류제국에 870만의 플레이어가 있다는 말이다.

지속적으로 공급되는 자재들로 생산되는 온갖 종류의 기가스. 끝없는 역설계로 고작 10년 만에 자동차와 총화기 등을 만들기 시작한 드워프. 슬슬 등장하기 시작하는 5클래스 마법사들까지.

여전히 인류제국 전체의 역량이 나 한 명에 미치지 못하는 상황이지만…… 인류제국의 수준은 충분히 유의미한 수준에 도달하고 있다.

'흠. 어쩌면 이런 녀석이 있는 것도 나쁘지 않을지 모르

겠군.'

하지만 다시 생각해도 어이가 없다.

'이게 10살이라고?'

나는 고개를 돌려 플라워를 보았다.

그리고 눈으로 말한다.

'시킨 거 아니지?'

플라워가 푸근하게 웃으며 눈짓한다.

'아닌데요?'

아들을 보는 그녀의 눈에 꿀이 뚝뚝 떨어진다. 자식이라고 해도 무뚝뚝한 나와 달리 그녀가 자식에게 가지는 애정은 실로 대단한 수준이다.

"흠. 좋아. 행정부에 자리를 마련해 줄 테니 하고 싶은 대로 해 봐라."

"감사합니다!"

눈을 반짝이며 기뻐한다.

'아니 보통 10살짜리가 이런 걸 좋아하나?'

가족의 식사 시간인지 보고 시간인지 모를 시간이 끝나고 식당을 나선다. 플라워가 지성과 하하호호 하며 어디론가 가 버린다.

'플라워, 저 녀석…… 예전에는 맨날 내 뒤에 붙어 있었는데.'

뭐라 표현하기 어려운 기분에 묘한 감정을 느끼고 있는 내 옆에 헤이즈가 따라붙는다.

왠지 심각한 표정이다.

“저기 재연아.”

“왜?”

“이런 생각을 내가 하게 될 줄은 몰랐는데.”

묘한 표정으로 헤이즈가 말한다.

“나도 아이 낳을까?”

내가 내 육신에 익숙해지면서 예전처럼 강제로 생체인자를 뜯기는 일은 벌어지지 않게 되었다. 이제는 내 결정에 따라 생체인자를 전달할지 말지를 결정할 수 있음은 물론 다른 생체력 수련자들이 그렇듯 [기본] 생체인자도 만들 수 있게 되어 아르데니아에 생체력을 퍼트리기까지 한 상황.

‘재능이 없는 병사들 사이에서 인기지. 보급만 충분하면 동급의 다른 능력보다 강한 편이니.’

그러나 [고유] 버전의 생체인자는 더 이상 퍼트리지 않았다. 이유는 단순하다. 소모가 너무 크기 때문이다.

한 번 만들면 근육이 20킬로그램씩 날아가서 그거 복구하는 데만 최소 몇 달을 투자해야 하니, 남용할 수는 없다.

“부러워?”

허리를 확 안아 당기자 헤이즈의 얼굴이 붉게 달아오른다.

“으…… 아! 모르겠다! 나중에 말할게!”

후다닥 도망가는 헤이즈의 모습에 피식 웃는다.

'……평화롭군.'

어느새 10년이 지났다.

인류제국의 모두가 태평성대를 노래한다. 성벽 밖에는 여전히 전설급의 괴물이 돌아다니지만 그렇다고 위기감을 느끼는 이는 아무도 없다. 높디높은 성벽과 돈과 경험치를 위해 오히려 이용비를 내고 성벽 위를 오르는 플레이어들이 있기 때문이다.

그리고 무엇보다 내가 있다.

위대하고 위대한 황제.

'그래. 여기에서…… 영원히 사는 방법도 있겠지.'

여기에서 10년을 살아도 현실의 시간은 흐르지 않는다. 심지어 나는 이곳에서 나이조차 먹지 않으니…… 하고자 한다면 아르데니아에서 영원의 황제로 군림하는 것조차 가능하겠지.

모두에게 존중받고, 사랑받고, 아무런 위기조차 없는 영원의 삶.

과거의 아르데니아는 현실의 지구와 비교조차 할 수 없이 미개한 곳이었지만 이제는 그렇지도 않다. 신화급 성들의 설비는 현실의 그것과 크게 차이 나지도 않고 놀 거리가 없던 과거와 달리 문화와 예술이 융성해졌고 음식도 맛있어졌다.

"……하."

웃었다. 느슨해지려는 마음을 다잡았다.

웃기는 소리다.

안이한 생각이다.

그냥 적당히 만족하고 살 거였으면 내가 왜 34지구에 적응하지 못하고 고통스러웠는가? 34지구는 낙원이라고까지 불리는 세상이 아니던가?

"그래. 오래 있었지."

나는 집무실에 도착해 아래를 내려다보았다. 나의 도시, 나의 제국이 보인다.

그것은 너무나 아름답고 소중한 것이지만, 그 하나에 매여 있을 수는 없는 일.

때문에 말한다.

"로그아웃."

팟!

드넓은 나의 도시. 화려하진 않아도 고급스럽던 집무실이 사라지고 몇 평 되지도 않는 원룸이 모습을 드러낸다.

"후후. 오랜만이네."

무려 10년 만의 로그인을 끝내기에는 다소 충동적이었지만 나쁘지 않은 기분.

나는 기억을 되새겼다.

'아, 어떤 상황이었지?'

가장 먼저 떠오르는 건 천현일 청장과의 대결이다. 이건 잊을 수가 없다. 사실 로그인이 길어진 이유 중 하나이기도 했기 때문이다.

'그리고 그 외에…… 초월자인 게 알려졌고. 플라워와의 스캔들 때문에 기사가 잔뜩 났고…… 광고도 찍고…… 그 뭐냐 서바이벌 아일랜드도 방송되었었지?'

지난 시간이 무려 10년.

굵직굵직한 것들은 기억나도 자잘한 것들은 전부 가물가물하다. 네메시스 주식이 얼마였는지 연재하는 소설이 몇 개였는지도 잘 기억나지 않는 상황.

그런데 그때.

내 옆에 있던 체다가 입을 열었다.

[경보! 경보! 이것은 실제 상황입니다. 모든 시민분께서는 대피 프로그램에 따라 안전 장소로 이동해 주십시오. 다시 한번 안내합니다. 이것은 실제 상황입니다. 시민들께서는 대피 프로그램에 따라 안전 장소로 이동해 주십시오!]

"어?"

난데없는 상황에 머리가 잘 돌아가지 않는다.

"이게 뭐야? 실제 상황이라니? 아니 지금 체다가 해킹당한 건가?"

그러나 경보가 울리는 건 체다뿐이 아니다.

[경보! 경보! 이것은 실제 상황입니다. 모든 시민분께서는 대피 프로그램에 따라 안전 장소로 이동해 주십시

오. 다시 한번 안내합니다. 이것은 실제 상황입니다. 시민들께서는 대피 프로그램에 따라 안전 장소로 이동해 주십시오!]

사방에서 경고음이 울린다. PC는 물론이고 룸 타워 자체의 방송도 요란스럽게 울리고 있다.

[22레벨 영능 재해 경고! 22레벨 영능 재해 경고! 모든 시민분께서는…….]

[22레벨 영능 재해 경고! 22레벨 영능 재해 경고! 모든 시민분께서는…….]

"22레벨!?"

황급히 몸을 일으켜 창밖을 바라본다.

"으악!? 뭐, 뭐야! 무슨 일이 일어나는 거야?"

"또 초월자가 나오는 거야?"

"아니, 이 물은 뭐야!? 어디서 차오르는 거야!?"

도시의 바닥에서부터 물이 차오르고 있다. 34지구의 도시 구조상 있을 수 없는 일!

그러나 진짜 문제는 물 따위가 아니다.

-숨이 막혀! 심해, 심해가 날 끌어당긴다…….

-파도! 파도야! 파도가 밀려오고 있어!

–모두 경배하라! 심해의 공포가 영혼을 지배하리니!

"……나레이션?"

전혀 현실의 그것 같지 않는 또렷한 목소리.

그리고 바닥에 고인 물속에서 검청색 피부의 거인이 몸을 일으킨다.

[22레벨]

심해의 혼돈. 쉡곤

"……뭐라고?"

기겁한다. 문제는 그뿐이 아니었다.

–나의 최후를 봤어! 나는 죽게 된다…… 세상 모든 것이 파괴될 거야!

–놈이 안다! 놈도 안다!

–놈이 지켜보고 있다! 재앙이 이곳을 휩쓴다!

하늘이 갈라진다. 거기에서 거대한 눈이 모습을 드러낸다. 쉡곤인가 뭔가 하는 녀석과 달리 그것과의 거리는 아주 멀어 수 킬로미터 이상 떨어져 있었지만, 그럼에도 그 존재가 명확히 보인다.

[22레벨]

예언의 눈. 딥 아이

대한민국에.

아니, 전 세계에.

아니, 어쩌면 우주 곳곳에…… 몬스터가 범람하고 있었다.

"이렇게…… 갑자기?"

몬스터 사태야 예전부터 있던 일이지만 아무런 전조도 없이 갑자기 이런 미친 수준의 침략이 행해진다는 건 이해할 수 없는 일이다.

그리고 무엇보다. 무엇보다…….

'너무나 공교로운 타이밍이다.'

쿠구궁!

쾅!

창밖에서는 어느새 모습을 드러낸 스무 대 정도의 기가스가 검푸른 비늘을 가진 수십 미터짜리 거인을 향해 포격을 쏟아 내고 있다.

'저들만으로는 안 돼.'

사건이 터진 지 고작 30초. 평화로운 34지구라는 걸 생각해 보면 실로 칭찬해 줄 만한 출격 속도지만 그렇다 해도 부족하다.

상대는 초월자.

심지어 22레벨이면 망령룡 레플리와 맞먹는 괴물이다.

범죄를 저지르면 초월자도 얄짤 없이 잡혀가는 34지구에서야 결국 체포되겠지만 그렇다 해도 쉽게 토벌될 상대는 아니다. 이런 괴물이 도시 한가운데 나타났으니 얼마나 많은 피해가 일어나겠는가?

[키! 케다! 우라타!]

이해할 수 없는 외침과 함께 심해의 혼돈, 쉡곤이 주먹을 휘둘러 옆에 있던 아파트를 쳤다.

꾸웅--!

그러나 버틴다! 수많은 사람이 거주하는 고층 아파트는 수백 수천 개의 주문이 중첩된 물건이었다.

[겟--?]

쉡곤이 당혹해하는 순간에도 기가스들의 포격이 계속된다.

우주 전쟁의 최전선에서도 활약하는 영자력 탄에 쉡곤의 비늘이 우수수 떨어져 내린다.

[자타!]

콰광!

쉡곤이 다시 아파트를 때리자 결국 버티지 못한 아파트가 무너져 내리기 시작한다. 아무리 34지구의 건축물이 튼튼해도 초월자가 작정하고 휘두른 공격을 두 방이나 막아 낼 정도는 아니다.

'……멍하니 있을 때가 아니군.'

나는 인벤토리를 열어 히페리온을 꺼냈다.

그리고 조용히 수인을 맺었다.

"아르데니아. 현문(賢門). 개방(開放)."

차분하게 순서대로 불러낸다.

"소환(召喚)."

꺼낸 것은 장비였다. 각각 9강화짜리 전설 등급의 행운의 골든 크라운, 행운의 엔젤 윙 수트, 행운의 찬란한 빛 슈즈, 행운의 찬란한 빛 장갑.

"흠, 이 와중에 이런 걸 소환하다니. 인성의 상태가……."

그러나 어쩔 수 없다. 34지구의 백업을 받으면서 신화급 몬스터를 잡는 데 파밍 장비를 안 낄 수는 없는 일 아닌가?

천원, [죽음의 신전]에서 나는 망령룡 레플리의 얼굴도 보지 못했다.

레플리와 일대일로 싸워도 이길지 자신할 수 없는 상황에서 무수히 많은 녀석의 부하들에게 포위당하는 구도를 피해 갔기 때문이다.

그리고 지금.

34지구에서는 그 구도가 정확히 반대로 진행된다.

"그리고 여기에…… 아르데니아. 현문(賢門). 개방(開放). 소환(召喚)."

〈그림자 까치 샤샤샤(희귀)가 소환됩니다!〉

〈샤샤샤가 은밀한 축복을 사용합니다!〉

〈민첩 스텟이 80포인트만큼 상승합니다!〉
〈버프 유지 시간 4:59〉

"그리고 여기에…… 체다. 환상 주문을 씌워 줘."

"매직 스토어에서 주문을 검색합니다. 9급 환상, 6만 8천 원. 8급 환상, 11만 5천 원. 7급 환상, 35만……."

"8급."

"계통을 안내하겠습니다. 광학……."

"그냥 카메라에만 안 찍히게."

곧 체다의 눈에서 마력광이 빛나고 마력이 내 몸에 씌워지는 게 느껴진다. 나는 히페리온을 들고 창문을 활짝 열었다.

쩌저적!

"으아악! 살려 줘!"

"무너진다!"

쉘곤이 공격한 건물들이 기우뚱 기울자 창문을 열고, 혹은 부수고 수백 명의 사람이 밖으로 탈출하는 모습이 보인다.

만약 그들이 일반인이었다면 모조리 추락해 죽었겠지만 34지구 사람들은 99% 이상이 능력자! 그들은 활강 주문을 걸거나 그냥 바닥에 착지하는 식으로 생명을 구했다.

콰광!

그러나 이 난데없는 상황에 모두가 그럴 수는 없다.

"으악! 피해요!"

"내 팔! 내 팔이!"

미처 피하지 못한 이들의 피와 살점이 흩뿌려진다. 공중에서 쉠곤의 공격을 당한 이들이 속수무책으로 죽어나간다.

나는 잔뜩 억눌린 스프링처럼 온몸을 웅크렸다. 오른손에 히페리온을 들고 도시에서 난동을 부리고 있는 검청색의 거인을 바라보았다.

뿌득. 뿌드득.

끼이익……!

내 몸에서 공사장에서나 들릴 법한 살벌한 굉음이 울려 퍼졌지만, 워낙 혼란스러운 와중이다.

[아이언 하트가……!]

[아니. 어디에서 이만한 물이 차오르는 거야!?]

[접근을 막아!]

파드득!

쉠곤의 움직임을 방해하고 있던 기가스 한 대가 주먹질 한 방에 찌그러진다.

외장갑 사이에서 뿜어지는 피는 조종사가 어떤 꼴을 당했는지를 상상하게 한다.

[안 돼! 창식아!]

[하나야, 피해…… 이, 이런!]

바닥에서 물이 차오른다. 쉠곤의 거대한 몸이 점점 더

빨라졌다.

기가스들이 쏘아내는 포격은 실로 강력해 쉠곤의 비늘을 뭉텅이씩 뜯어냈지만, 바꿔 말하자면 고작 그 정도 피해를 줬을 뿐이다.

그리고 그렇게 쉠곤의 주먹이 다음 기가스를 후려치려는 순간.

대기만성(大器晩成).

아광(亞光).

광속에 가까워 시전자인 나조차 제대로 인식하지 못하는 이 미친 속도에, 놀랍게도 쉠곤이 반응했다.

'일종의 자동 반격인가? 덩치에 안 맞게 기민해.'

쉠곤의 어깨에서 자라난 검푸른 비늘이 히페리온을 막아 내고 인과의 흐름을 무시하고 솟구친 바닷물이 불가사의한 힘으로 내 몸을 관통하는 모습이 [보였]다.

쩍!

그래. 그렇게 되었을 것이다.

나에게 전투 예지가 없었다면.

텅!

찰나의 순간 몸을 틀어 검푸른 비늘을 피해 낸다. 자신의 체중 전체를 들고 있는 검 하나에 집중시키는 것은 검사에겐 별로 어렵지도 않은 기예.

문제는 수백 킬로그램의 체중이 광속에 가깝게 움직이는 상황에서, 그 모든 운동량이 검날 하나에 집중되었다는 것이다.

심지어 검에 달린 것은 물리 계수 12.4.

이게 단순 물리력이어도 차원이 일그러질 정도인데, 스킬이긴 해도 검날에 검강까지 둘려 있다.

쩍!

허공이 쩍 하고 갈라지며 차원의 틈이 드러난다. 본디라면 주변 건물을 다 파괴해야 할 충격파가 일점으로 집중된 결과.

그러나 어이없게도 쉘곤의 머리는 그것을 버텨 냈다. 거의 나에 비견될 정도의 생명력!

[가르락? 이에타……!?]

가로로 찌그러진 머리통이 뭐라 뭐라 떠들고 있다. 무슨 말인지는 알 수 없지만, 거기에 담긴 경악과 분노를 느낄 수 있었다.

쿠르르르르……!

바닥에 차오르던 바닷물이 쉘곤에게 빨려 들어간다.

쩍!

그리고 거기에서 쉐도우 트와이스 발동!

[아르아티!?]

당혹감이 가득한 괴성과 함께 쉘곤이 사방으로 주먹을 휘두른다. 그 와중에도 바닷물을 빨아들여 육신이 복구

되는 모습을 보니 시간을 벌려는 발버둥이었나 보지만.

아쉽게도 이미 적용된 스킬을 피할 수는 없었다.

쩍!

마지막 쉐도우 트와이스.

그러나 회복이 더 빠르다.

'어이가 없군. 그냥 칼질도 아니고 검강도 실은 공격이었는데.'

추가타를 날려야 하지만 아광의 후폭풍이 아직 가시지 않는 상황. 이대로라면 내가 뭔가 더 하기 전에 녀석이 완전 회복을 할 상황이었지만.

여기는 34지구.

녀석과 달리, 나는 혼자가 아니다.

스스스슥!

수급 기가스와 비교도 할 수 없는 덩치와 기세를 가진 인급 기가스 한 대가 한순간 12대로 늘어났다.

'어빌리티 분신술(分身術)!'

인급 기가스 곽재우(郭再祐)의 고유 어빌리티!

쿠구궁!

거대한 마법진이 떠올라 빠르게 회복하던 쉡곤의 육신을 감싸자 녀석의 몸으로 몰려 들어가던 바닷물이 꽁꽁 얼어붙기 시작한다.

그뿐이 아니다.

쿠구구구궁!

두두두두두!

쏟아지는 포격이 쉘곤의 몸을 마구 후려친다.

물론 그 과정에 도로와 건물이 파괴되었지만, 기가스들은 조금도 신경 쓰지 않았다. 잠시라도 공격의 빈도를 늦추는 순간 오히려 역습을 당할 수 있다는 걸 알기 때문이리라.

그리고 그 상황에서.

대기만성(大器晩成).

아광(亞光).

턱.

쉘곤의 건너편에 내려선다. 그리고 내심 감탄한다.

'역시…… 이 기술은 초월급 스페셜 보스에게도 먹힌다. 기습으로 쓴다면 더더욱.'

하기야 서로 간에 충분한 거리가 있는 우주전도 아니고 이런 근접전에서 광속에 가까운 공격을 피한다는 건 절대 쉬운 일이 아니다. 그 찰나의 순간 전투 예지로 공격의 성사 여부를 예측할 수 있는 상황에서는 더욱 그러하다.

[이에타! 이에타……!?]

이번에는 세로로 찌그러진 머리를 붙잡고 쉘곤이 휘청거린다. 녀석은 필사적으로 주변의 바닷물을 빨아들이려 했지만, 기가스들이 펑펑 쏟아 내는 냉각탄과 대규모 빙

결 주문에 얼어붙은 바닷물은 요지부동.

그리고 그대로.

쩍.

쉐도우 트와이스가.

쩍!

녀석의 머리를 세로로 쪼개 버린다.

쿠우웅---!

쉠곤의 거대한 육신이 쓰러지며 박살 난 얼음 조각들이 안개처럼 자욱하게 퍼져 나간다.

"쓰러졌다!"

"죽은 거 맞아? 상태 확인해!"

"제길! 이게 무슨 일이야!? 뭐가 어떻게 되고 있는 거야?"

"부상자를 구출해!"

어느새 몰려온 경찰들이 사람들을 구출하고 온갖 주문을 사용해 전장을 정리한다. 극도의 혼란 중에서도 어느 정도 진정되는 분위기.

'하지만 상황이 끝은 아니야. 다른 초월급 몬스터들이…….'

그렇게 생각하는 순간이었다.

번쩍!

눈 부신 빛에 고개를 돌리자 하늘에 떠 있던 딥 아이가 빛의 기둥에 관통당한 모습이 보인다. 고개를 내려 보니 그 아래에 서 있는 거대한 기가스와, 그 기가스가 들고 있는 더 거대한 대포가 있다.

"전쟁성좌(戰爭星座), 워로드(Warlord)……."

부유하기로 유명한 34지구에도 고작 3체밖에 없는 성(星)급 기가스다. 조종사는 그 유명한 사자여왕 김소향.

그녀는 초월자가 아니지만 34지구 유일의 기간트 마스터로서 초월자에 준하는 대접을 받는다. 초월자가 아니면 뭐 어떤가? 기가스에 타기만 하면 초월자급의 힘을 내는데.

그녀는 이미 숱한 초월자를 잡아낸 역전의 용사이다.

콰콰쾅!

그녀를 뒤따른 수백의 기가스들이 딥 아이를 향해 포격을 가한다. 딥 아이는 눈을 깜빡여 육체를 회복시키고 차원을 넘어 도망치려 했지만, 사방에서 솟구쳐 올라온 수십 겹의 마력 결계가 녀석의 움직임을 방해했다.

그리고 다시.

번쩍!

솟구치는 빛줄기가 딥 아이를 갈가리 찢어 버린다.

"아, 막타……."

쓰레기 같은 소리지만 절로 그런 한탄이 나온다. 그럴 수밖에 없다.

인벤토리에 들어온 아이템들 때문이다.

'전설 아이템이…… 8개!'

아이템 전부가 쓸 만한 것은 아니었다. 게임의 체계가 다르고 기본적으로 이 게임. [가장 어두운 절망]의 아이템 효과들은 대체로 기괴한 사용 효과를 가지고 있었으니까.

그러나 개중 몇 개는, 내 눈을 의심할 만한 효과를 가지고 있다.

[선구자의 가면(유물)]

죽음의 순간 발동. 스트레스 +50% 후 상태를 죽음-〉빈사로 변경한다.

인벤토리에서도 효과 적용.

적용 후 아이템은 파괴된다.

아주 심플한 효과지만 그만큼 강력하다. 말 그대로 죽는 걸 막아 준다는 뜻이 아닌가? 심지어 아이템 효과에 아무런 제한 사항이 없었으며 인벤토리에서도 발동된다는 건 그야말로 미쳐 버린 효과라 해도 과언이 아니다.

이 아이템이 3개나 드랍됐다는 점에서는 더더욱 그러하다.

[원한의 살생부(유물)]

적에게 피해를 입었을 시 그 이름을 살생부에 기입 가능. 해당 적의 위치를 지도에서 확인 가능하며 해당 적에게 원거리 공격 시 빗나가지 않는다.

"빗나가지 않는다…… 이런 것도 적용이 되나?"

공격력, 방어력 등의 효과 대신 극강의 유틸성이 돋보

이는 아이템들을 잠시 살펴보다 몸 상태를 확인한다.

아광을 두 번이나 사용했더니 체중이 잔뜩 줄고 머리가 어질어질하지만…… 그거야 로그인해서 회복하고 오면 그만.

'좋아. 다른 초월급 몬스터를 찾아서.'

그러나 그렇게 생각할 때였다.

[22레벨 영능 재해가 종료되었습니다. 다시 한번 말씀해 드립니다. 22레벨 영능 재해가 종료되었습니다. 모든 시민분께서는…….]

[영능 재해가 종료되었습니다. 11체의 22레벨 몬스터 전부가 처리되었습니다. 모든 시민분께서는…….]

"……뭐?"

여기저기에서 울리는 안내음에 어이가 없어 신음한다. 시간을 확인한다. 저 초월급 몬스터들이 등장한 지 이제 고작 3분이 지났을 뿐이다.

"아니, 뭐라고?"

고작 3분.

초월급 몬스터 11마리가 전부 죽어 버리기까지 걸린 시간이었다.

(열일하는 과금 기사 9권에서 계속)